# N5合格！
## 日本語能力試験問題集
The Workbook for the Japanese Language Proficiency Test

# N5 文法
## スピードマスター

Quick Mastery of N5 Grammar
N5 语法 快速掌握
N5 문법 스피드 마스터
Nắm Vững Nhanh Ngữ Pháp N5

桑原里奈・小野塚若菜 共著

Jリサーチ出版

# はじめに

　日本語能力試験は、日本語に関する知識とともに実際に運用できる日本語能力を測ることを重視しています。本書は日本語能力試験の言語知識（文法）の試験問題を参考に作成していますが、ただ文法項目を知識として得て暗記するだけではなく、みなさんがその知識を、コミュニケーションの道具として実際に使えるようになることを目指しました。そのため、Unit の最初には、学習する文法項目が実際の会話ではどのように使われるかわかるように、短い会話が示してあります。また、各文法項目の例文もできるかぎり実際の生活で使われるような自然なものにすることを心がけました。

　日本語能力試験の問題は、選択肢の中から正しい答えをひとつ選ぶ形式ですが、本書の各 Unit の「ふくしゅう」には、実際に語や文を書く練習もあります。それぞれの文法項目で、動詞や形容詞などがどのように変形しているかを、巻頭の「活用・変形表」も参照しながら、ひとつひとつ確認して覚えることができるようにしました。

　本書が、日本語能力試験を受験するみなさんのお役に立てることを願っています。

著者

# Preface／前言／머리글／Lời mở đầu

The Japanese-Language Proficiency Test (JLPT) focuses on measuring knowledge about Japanese as well as practical Japanese ability. While this book was created to be a reference for JLPT language knowledge (grammar) test questions, it is meant to be used as more than a list of grammatical items to be memorized. It is also meant to allow its readers to take the knowledge it contains and use it as a communication tool. For this reason, each unit begins with a short conversation that uses the grammatical item to be learned so that readers can see how it is used in actual conversation. Efforts have also been made to make the example sentences for each grammar item be similar to ones used in real life and as natural as possible.

While questions on the JLPT ask you to choose the correct answer from a number of selections, the Review sections in each of this book's units also include practice writing words and sentences. You will be able to learn each grammar item while referring to its opening "Conjugation / Variation chart" section to see how it is modified by verbs, adjectives, and so on.

I hope that this book will be of use to all of you taking the Japanese-Language Proficiency Test.

The Authors

日语能力测试重视衡量有关日语知识及其能实际运用的日语水平。本书虽然是参考日语能力测试的语言知识（语法）的考试题而编写的。但语法不仅是作为所学的知识死记硬背，还要将其作为交流工具运用到实际生活中。为此，第一章节为了让大家明白所学的语法项目在实际会话中如何运用，用很短的会话来示范。另外，各语法项目中的例句也是尽可能使用实际生活中用的自然地道的例子。

日语能力测试的问题一般是「从中择一」的选择题。但本书的各章节的复习中还有书写词语及语句的练习。在各个语法项目中，如动词、形容词是如何变形的，可以参照其「活用・变形表」一个一个地确认并记住其活用。

希望本书能对大家的日语能力测试有所帮助。

著者

일본어 능력시험은 일본에 대한 지식과 함께 실제로 사용할 수 있는 일본어 능력을 측정하는 것을 중시하고 있습니다. 본서는 일본어 능력시험의 언어지식（문법）시험문제를 참고로 하여 작성하고 있습니다만 단지 문법 항목을 지식으로 암기하지 않고 여러분이 그 지식을 커뮤니케이션의 도구로 실제로 사용할 수 있도록 하는 것을 목표로 하고 있습니다. 그 때문에 Unit 의 처음에 학습할 문법 항목이 실제로 회화에서 어떻게 사용되는지 알 수 있도록 짧은 회화를 제시하고 있습니다. 또한 각 문법 항목의 예문도 가능한 한 실제 생활에서 사용할 수 있도록 자연스러운 것을 고르도록 노력했습니다.

일본어 능력시험 문제는 선택번호 안에서 바른 답을 하나 고르는 형식입니다만 본서의 각 Unit 의「복습」에는 실제로 말과 문장을 쓰는 연습도 있습니다. 각각의 문법 항목에서 동사나 형용사 등이 어떻게 변형되어 있는지를 권두의「활용・변형표」도 참조하면서 하나하나 확인하면서 외울 수 있게 하였습니다.

본서가 일본어 능력시험을 보는 여러분의 도움이 되기를 진정으로 바랍니다.

저자

Kỳ thi năng lực tiếng Nhật coi trong việc kiểm tra kiến thức về tiếng Nhật cũng như khả năng ứng dụng tiếng Nhật trên thực tế. Cuốn sách này được soạn dựa trên các bài thi Kiến thức ngôn ngữ (Ngữ pháp) của Kỳ thi năng lực tiếng Nhật với mục đích giúp người học không chỉ ghi nhớ được các mẫu câu ngữ pháp như các kiến thức mà còn có thể ứng dụng những mẫu câu đó như một công cụ giao tiếp trong thực tế. Vì vậy ở phần đầu các Unit có bài hội thoại ngắn để người học hiểu các mẫu câu được sử dụng như thế nào trên thực tế. Hơn nữa, các câu ví dụ của các mẫu câu ngữ pháp cũng là những cách nói tự nhiên được sử dụng trong cuộc sống thực tế.

Bài thi trong Kỳ thi năng lực tiếng Nhật có hình thức chọn một câu trả lời đúng trong các phương án lựa chọn, nhưng trên bài "Ôn tập" trong các Unit còn có cả phần luyện tập viết từ hoặc câu. Bạn có thể vừa tham khảo phần "Bảng chia-biến đổi" ở đầu sách để xem từng từ như động từ, tính từ v.v.. biến đổi như thế nào vừa ghi nhớ từng từ ấy.

Tôi hy vọng cuốn sách này sẽ giúp ích cho các bạn đang chuẩn bị dự thi Kỳ thi năng lực tiếng Nhật.

Các tác giả

# もくじ

Table of contents／目录／목차／Bảng nội dung

- ◆ はじめに　Preface／前言／머리글／Lời mở đầu ・・・・・・・・・・・・・・・・・・・・・・・・・・・・・・ 2
- ◆ 日本語能力試験と文法問題　The Japanese-Language Proficiency Test and Grammar Questions／日语能力测试及语法问题／일본어 능력 시험과 문법 문제／Kỳ thi năng lực tiếng Nhật và các bài thi Ngữ pháp ・・・・・・・・・・ 6
- ◆ この本の使い方　How to Use This Book／本书指南／이 책의 사용법／Cách sử dụng sách này ・・・・・・・・・・ 8
- ◆ この本で使う記号　Symbols Used In this Book／本书所使用的记号／이 책에서 사용하는 기호／Các kí hiệu được sử dụng trong sách này ・・・・・・・・・・・・・・・・・・・・・・・・・・・ 10
- ◆ 活用・変形表　Conjugation / Variation chart／活用・变形表／활용・변형표／Bảng chia-biến đổi ・・・・・・ 11
- ◆ 接続詞・接続助詞　Conjunctions / Conjunctive Particles／接续词、接续助词／접속사·접속 조사／Liên từ ・・・・ 15

## PART 1　基本文型の整理 ・・・・・・・・・・・・・・・・・・・・・・・ 17

Sorting Out Basic Sentence Patterns／基本句型的整理／기본 문형의 정리／Tóm tắt các mẫu câu cơ bản

- Unit 1　わたしはタスです。　…18
- Unit 2　マンガとアニメが大すきです。　…20
- Unit 3　日本でたくさんマンガを買いたいです。　…22
- Unit 4　よく秋葉原や原宿へ行きます。　…24
- Unit 5　あまいものはあまりすきではありません。　…26
- ◎ Unit1~Unit5 実戦練習　Test Questions／实战练习／실전 연습／Bài luyện tập thực hành ・・・・・・・ 28
- Unit 6　わたしのすきな喫茶店はカフェ・ミーです。　…30
- Unit 7　カフェ・ミーには、ねこがいます。　…32
- Unit 8　京都と奈良とどちらがいいですか。　…34
- Unit 9　奈良の桜は、いつがいちばんきれいですか。　…36
- Unit 10　はなさんも行きませんか。　…38
- ◎ Unit6~Unit10 実戦練習　Test Questions／实战练习／실전 연습／Bài luyện tập thực hành ・・・・・・ 40
- Unit 11　ひとりで旅行するのがすきです。　…42
- Unit 12　電車で行きましょう。　…44
- Unit 13　どうやってきめますか。　…46
- Unit 14　げんかんの電気をけしますか。　…48
- Unit 15　動物にえさをあげてはいけません。　…50
- ◎ Unit11~Unit15 実戦練習　Test Questions／实战练习／실전 연습／Bài luyện tập thực hành ・・・・・ 52

- Unit 16 このクッキー食べてもいいですか。 …54
- Unit 17 何かてつだいましょうか。 …56
- Unit 18 オーストラリアに行ったことがありますか。 …58
- Unit 19 どうしたんですか。 …60
- Unit 20 星がきれいに見えるでしょうね。 …62
  - ◎ Unit16~Unit20 実戦練習　Test Questions／实战练习／실전 연습／Bài luyện tập thực hành ‥‥64
- Unit 21 むりしないでください。 …66
- Unit 22 このかばん、はなさんのですか。 …68
- Unit 23 わたしにもください。 …70
- Unit 24 姉にこの服をもらいました。 …72
- Unit 25 そこを右にまがってください。 …74
  - ◎ Unit21~Unit25 実戦練習　Test Questions／实战练习／실전 연습／Bài luyện tập thực hành ‥‥76
- Unit 26 新しいいえはどんないえですか。 …78
- Unit 27 きのう買った本はどうでしたか。 …80
- Unit 28 つぎのえきまでどのくらいかかりますか。 …82
- Unit 29 女の人の気持ちはむずかしくてわかりません。 …84
- Unit 30 たんじょう日に何がほしいですか。 …86
- Unit 31 このソースをかけてあまくします。 …88
  - ◎ Unit26~Unit31 実戦練習　Test Questions／实战练习／실전 연습／Bài luyện tập thực hành ‥‥90
  - 解答用紙（実戦練習）　Answer sheet (Test Questions)／卷子、试卷（实战练习）／답안지（실전 연습）／Giấy ghi câu trả lời (Bài luyện tập thực hành) ‥‥92

# PART 2　模擬試験 ‥‥93
Mock examinations／模拟测试／모의고사／Kiểm tra mô phỏng thực tế

- 第1回　the 1st／第一次／제 1 회／Lần thứ nhất …94
- 第2回　the 2nd／第二次／제 2 회／Lần thứ hai …100
  - 解答用紙（模擬試験）　Answer sheet (Mock examinations)／卷子、试卷（模拟测试）／답안지（모의고사）／Giấy ghi câu trả lời (Kiểm tra mô phỏng thực tế) ‥‥106

**文型のさくいん**　Index of sentence patterns／句型索引／문형 색인／Chỉ mục mẫu câu ‥‥108

The Japanese-Language Proficiency Test and Grammar Questions／日语能力测试及语法问题／
일본어 능력 시험과 문법 문제／ Kỳ thi năng lực tiếng Nhật và các bài thi Ngữ pháp

- 目的：日本語を母語としない人を対象に、日本語能力を測定し、認定すること。
  ※ 課題遂行のための言語コミュニケーション能力を測ることを重視。
- 試験日：年2回（7月、12月の初旬の日曜日）
- レベル：N5（最もやさしい）→ N1（最もむずかしい）
  N1：幅広い場面で使われる日本語を理解することができる。
  N2：日常的な場面で使われる日本語の理解に加え、より幅広い場面で使われる日本語をある程度理解することができる。
  N3：日常的な場面で使われる日本語をある程度理解することができる。
  N4：基本的な日本語を理解することができる。
  N5：基本的な日本語をある程度理解することができる。

| レベル | 試験科目 | 時間 | 得点区分 | 得点の範囲 |
|---|---|---|---|---|
| N1 | 言語知識（文字・語彙・文法）読解 | 110分 | 言語知識（文字・語彙・文法） | 0～60点 |
| | | | 読解 | 0～60点 |
| | 聴解 | 60分 | 聴解 | 0～60点 |
| N2 | 言語知識（文字・語彙・文法）読解 | 105分 | 言語知識（文字・語彙・文法） | 0～60点 |
| | | | 読解 | 0～60点 |
| | 聴解 | 50分 | 聴解 | 0～60点 |
| N3 | 言語知識（文字・語彙） | 30分 | 言語知識（文字・語彙・文法） | 0～60点 |
| | 言語知識（文法）・読解 | 70分 | 読解 | 0～60点 |
| | 聴解 | 40分 | 聴解 | 0～60点 |
| N4 | 言語知識（文字・語彙） | 30分 | 言語知識（文字・語彙・文法） | 0～120点 |
| | 言語知識（文法）・読解 | 60分 | 読解 | |
| | 聴解 | 35分 | 聴解 | 0～60点 |
| N5 | 言語知識（文字・語彙） | 25分 | 言語知識（文字・語彙・文法） | 0～120点 |
| | 言語知識（文法）・読解 | 50分 | 読解 | |
| | 聴解 | 30分 | 聴解 | 0～60点 |

※ N1・N2の科目は2科目、N3・N4・N5は3科目

- 認定の目安：「読む」「聞く」という言語行動でN5からN1まで表している。
- 合格・不合格：「総合得点」と各得点区分の「基準点（少なくとも、これ以上が必要という得点）」で判定する。

☞ くわしくは、日本語能力試験のホームページ〈http//www.jlpt/〉を参照してください。

## N5のレベル

以前の4級とだいたい同じレベル

| | |
|---|---|
| 読む | ● ひらがなやカタカナ、日常生活で用いられる基本的な漢字で書かれた定型的な語句や文、文章を読んで理解することができる。 |
| 聞く | ● 教室や、身の回りなど、日常生活の中でもよく出会う場面で、ゆっくり話される短い会話であれば、必要な情報を聞き取ることができる。 |

## 文法の問題構成

| | | 大問<br>※4～6は読解の問題 | | 小問数 | ねらい |
|---|---|---|---|---|---|
| 言語知識・読解 | 1 | 文の文法1<br>（文法形式の判断） | ○ | 16 | 文の内容に合った文法形式かどうかを判断することができるかを問う。 |
| | 2 | 文の文法2<br>（文の組み立て） | ◆ | 5 | 統語的に正しく、かつ、意味が通る文を組み立てることができるかを問う。 |
| | 3 | 文章の文法 | ◆ | 5 | 文章の流れに合った文かどうかを判断することができるかを問う。 |

◆ 以前の試験では出題されていなかった、新しい問題形式のもの。
○ 以前の試験でも出題されていたもの。
※ 小問の数は変わる場合もあります。

# この本の 使い方

この本は、パート1「基本文型の整理」とパート2「模擬試験」で構成されています。

- パート1では、各 Unit の会話や例文を通して、文型の意味や使い方を学習します。各 Unit には2〜3つの文型があり、最後に復習問題があります。

- 5〜6つの Unit ごとに実戦形式の練習問題（実戦練習）をします。1問約1分で、全体で15分程度を目安にやってみましょう。

- パート2では、実力チェックのため、模擬試験をします。(2回)

---

最初に会話の中で文型がどのように使われているかを見ます。

First, look at how sentence patterns are used within conversations.
句型在会话中如何使用一目了然。
처음에 회화 속에서 문형이 어떻게 사용되는지를 본다.
Trước tiên hãy xem các mẫu câu được sử dụng như thế nào trong hội thoại.

---

文型の具体的な表現です。
文型を使った例文です。基本となる文型の部分を太字にして下線が引いてあります。

This is a specific expression of a sentence pattern. This is a sample sentence that uses the sentence pattern. The basic element of each sentence pattern is written in bold and is also underlined.
句型的具体表现。
使用句型的例句。构成基本句型的部分用粗体字表示，下面标有横线。
문형의 구체적인 표현이다.
문형을 사용한 예문이다. 기본이 되는 문형 부분을 굵은 글자로 표시하고 밑줄을 그었다.
Cách sử dụng mẫu câu cụ thể.
Có các câu ví dụ sử dụng mẫu câu. Phần mẫu câu được in đậm và gắn thêm dấu gạch dưới.

---

文型についての基本的な解説です。
This is a basic explanation of the sentence pattern.
关于句型的基本解说。
문형에 대한 기본 해설이다.
Giải thích cơ bản về mẫu câu.

8

# A guide to use this book ／本书的用法／이 책의 사용법／tiếng Việt

This book consists of two parts, "Sorting Out Basic Sentence Patterns," and "Mock examinations."
- In Part 1, the conversations and example sentences in each Unit will teach you the meaning and usage of sentence patterns. There are two to three sentence patterns in each unit, and units end with review problems.
- Every five to six units, there will be practice questions in the form of actual test questions (実戦練習). Aim to spend about one minute per question, for a total of fifteen minutes.
- Part 2 contains Mock examinations (2) for you to check your abilities and progress.

本书由第一部「基本句型的整理」和第二部「模拟测试」两部分构成。
- 第一部分通过各章节的会话及例句，学习句型的意思及用法。各章节由 2～3 个句型，最后还附有练习问题。
- 每隔 5～6 个章节进行一次实战形式的练习问题（实战练习）。一道题大约需一分钟，总共照着 15 分钟左右做吧。
- 在第二部分中，为了测试一下实力，进行模拟测试（两次）。

이 책은 파트 1「기본 문형의 정리」와 파트 2「모의고사」로 구성되어있다.
- 파트 1 에서는 각 Unit 의 회화나 예문을 통해 문형의 의미와 사용법을 공부한다. 각 Unit 에는 2~3 개의 문형이 있고 마지막에 복습 문제가 있다.
- 5~6 의 Unit 마다 실전 형식의 연습문제 (実戦練習) 을 푼다. 1 문제당 1 분에 15 분 정도를 목표로 해 봅시다.
- 파트 2 에서는 실력 체크를 위해 모의고사를 본다 (2 회).

Cuốn sách này gồm 2 phần: Phần 1: Tóm tắt các mẫu câu cơ bản. Phần 2: Kiểm tra mô phỏng thực tế.
- Phần 1 giải thích ý nghĩa và cách sử dụng của các mẫu câu thông qua các hội thoại hoặc câu ví dụ từng Unit. Mỗi Unit gồm có 2-3 mẫu câu và ở cuối Unit có bài ôn tập.
- Mỗi 5-6 Unit có bài luyện tập thực hành (実戦練習). Hãy thử làm bài trong vòng tổng cộng 15 phút, mỗi câu 1 phút.
- Phần 2 có bài thi mô phỏng thực tế để kiểm tra khả năng của mình (2 lần).

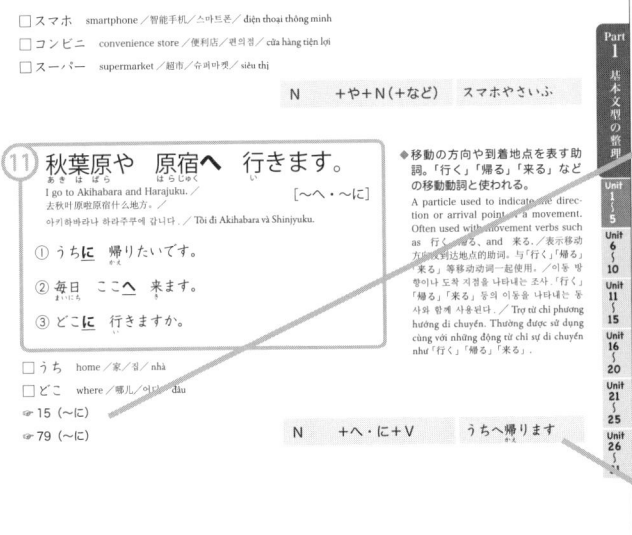

参照する文型番号です。
This is the number of the sentence pattern referred to.
参照句型的号码。
참조할 문형 번호이다.
Số thứ tự của mẫu câu để tham khảo.

文型と他の語との接続の形を示して、接続の例も挙げています。
Sentence pattern conjunctions with other words are displayed, and example conjunctions are given.
表示句型与其他词语的接续形，并列举其接续的例句。
문형과 다른 말과의 접속형을 제시하고 접속의 예도 제시를 하였다.
Biểu thị cấu trúc để liên kết mẫu câu với các từ và nêu ví dụ liên kết.

この Unit の文型の復習問題です。
These are review problems that use the sentence patterns introduced in the unit.
此章节说明的句型的复习问题。
이 Unit 에서 취급한 문형의 복습 문제이다.
Bài ôn tập về mẫu câu đã học trong Unit này.

## この本で使う記号 / Symbols Used In this Book／本书所使用的记号／이 책에서 사용하는 기호／Các kí hiệu được sử dụng trong sách này

V = 動詞　Verb／动词／동사／động từ
　　（いく、みる、する、くる etc.）

A = い形容詞　i-Adjective／い形容词／い형용사／tính từ đuôi い
　　（おおきい、たかい、いい etc.）

Na = な形容詞　na-Adjective／な形容词／な형용사／tính từ đuôi な
　　（きれいな、にぎやかな、げんきな etc.）

N = 名詞　Noun／名词／명사／danh từ
　　（ほん、バナナ、にちようび、あめ、アルさん etc.）

（ふつう） = 普通形／普通体　plain-form／一般形／보통형／thể thông thường

（じしょ） = 辞書形　dictionary-form／词典形／사전형／thể từ điển

（ない） = ない形　nai-form／ない形／ない형／thể ない

（て） = て形　te-form／て形／て형／thể て

（た） = た形　ta-form／た形／た형／thể た

漢字かひらがなか、などの表記については、固定せず、ある程度柔軟に扱っています。
There are no firm rules regarding when kanji are used and when hiragana are used, and they can be used in a relatively flexible manner.／关于汉字或假名等的书写，没有固定、在某种程度上可以灵活处理。／한자인지 히라가나인지 등의 표기에 대해서는 고정하지 않고 유연하게 취급하였다．／Không thống nhất chữ Hán hoặc Hiragana nghiêm ngặt lắm.

ふりがなは、実践練習と模擬試験では日本語能力試験旧4級の基準に沿ってつけました。それ以外のところでは多めにつけてあります。
Furigana in Test questions and Mock examinations are used according to the old Japanese Language Proficiency Test *4-kyu* guidelines. In other sections, they are used more frequently.／注音假名在实践练习和模拟考试中以日语能力测试旧4级为基准标注的。除此以外也标注很多。／후리가나는 실천 연습과 모의시험에서는 일본어 능력시험 구 4 급의 기준에 따라 달았다．그 이외의 곳에는 많이 달았다．／Hurigana (cách đọc chữ Hán) được gắn thêm theo tiêu chuẩn cấp độ 4 cũ của JLPT ở trong luyện tập thực hành và kiểm tra mô phỏng thực tế. Ở những chỗ khác, được gắn thêm nhiều hơn.

# 活用・変形表

Conjugation / Variation chart / 活用, 変形表／활용・변형표／Bảng chia-biến đổi

## 辞書形（じしょ）

dictionary form／词典形／사전형／thể từ điển

|   |   | ます形 | 辞書形 |
|---|---|---|---|
| 動詞(V) | グループ1 | －iます | －u |
|  |  | か**い**ます | か**う** |
|  |  | ま**ち**ます | ま**つ** |
|  |  | かえ**り**ます | かえ**る** |
|  |  | 読**み**ます | 読**む** |
|  |  | あそ**び**ます | あそ**ぶ** |
|  |  | し**に**ます | し**ぬ** |
|  |  | 話**し**ます | 話**す** |
|  |  | 聞**き**ます | 聞**く** |
|  |  | およ**ぎ**ます | およ**ぐ** |
|  |  | 行**き**ます | 行**く** |
|  | グループ2 | －ます | －る |
|  |  | 食べます | 食べる |
|  |  | 見ます | 見る |
|  | グループ3 | 来ます | 来る |
|  |  | します | する |

## 【動詞（V）のグループ分け】

グループ１：グループ２とグループ３以外の動詞。

グループ２：「－ます」の前に「e」の音がくる動詞。「食べます」「あけます」など。
「－ます」の前がひらがな一つの動詞。「見ます」「着ます」など。
ただし「おります」「起きます」「あびます」「かります」などもグループ２に入る。

グループ３：「します」「きます」の二つだけ。

### Groups of Verbs (V)

Group 1: Verbs not in group 2 or group 3.
Group 2: Verbs that use the e sound before －ます, such as 食べます and あけます.
Verbs with one hiragana before －ます, such as 見ます and 着ます. However, おります、起きます、あびます、かります and so on are also included in group 2.
Group 3: します and きます only.

### 动词（V）的分组

组１：组２和组３以外的动词。
组２：在「－ます」前带有「e」音的动词。
如「食べます」「あけます」等。
在「－ます」前有一个平假名的动词。如「見ます」「着ます」等。
但是「おります」「起きます」「あびます」「かります」等也可以分在组２里。
组３：只有「します」「きます」两个。

### 동사(V)의 그룹 나누기

1그룹 : 2그룹과 3그룹 이외의 동사.
2그룹 : 「－ます」 앞에 「e」의 음이 오는 동사. 「食べます」 「あけます」 등. 「－ます」의 앞에 히라가나 하나만 있는 동사. 「見ます」 「着ます」 등.
단 「おります」 「起きます」 「あびます」 「かります」 등도 2그룹에 포함된다.
3그룹 : 「します」 「きます」의 둘뿐.

### Các nhóm động từ (V)

Nhóm I: Những động từ không thuộc nhóm II hoặc nhóm III.
Nhóm II: Những động từ có đuôi là 「e」 đứng trước 「－ます」 như 「食べます」 「あけます」.
Những động từ chỉ có một chữ hiragana đứng trước 「－ます」 như 「見ます」 「着ます」.
Cũng có ngoại lệ như 「おります」 「起きます」 「あびます」 「かります」.
Nhóm III: Chỉ có 2 động từ 「します」 「きます」.

11

## ない形（ない） nai-form／ない形／ない형／thể ない

|  |  | ます形 | ない形 |
|---|---|---|---|
| 動詞 (V) | グループ１ | －i ます | －a ない |
|  |  | か**い**ます※ | か**わ**ない |
|  |  | ま**ち**ます | ま**た**ない |
|  |  | かえ**り**ます | かえ**ら**ない |
|  |  | 読**み**ます | 読**ま**ない |
|  |  | あそ**び**ます | あそ**ば**ない |
|  |  | し**に**ます | し**な**ない |
|  |  | 話**し**ます | 話**さ**ない |
|  |  | 聞**き**ます | 聞**か**ない |
|  |  | およ**ぎ**ます | およ**が**ない |
|  |  | 行**き**ます | 行**か**ない |
|  | グループ２ | －ます | －ない |
|  |  | 食べます | 食べない |
|  |  | 見ます | 見ない |
|  | グループ３ | 来ます | 来ない |
|  |  | します | しない |

※「かいます」のような「-います」（V）はグループ１ですが、「かあない」とは変化しません。

'－います (V) such as かいます are included in Group 1, but instead of being conjugated as「かあない」, it is conjugated as「－わない」.／像「かいます」这样的「-います」(V) 属于组1，但不说「かあない」，说「－わない」。／「かいます」와 같은「－います」(V)는 1 그룹이지만「かあない」처럼 변하지 않고「－わない」로 변합니다．／Những động từ có đuôi「－います」như「かいます」thuộc nhóm I, nhưng không biến đổi như「かあない」mà biến đổi như「－わない」.

# て形（て）・た形（た) te-form, ta-form／て形・た形／て형・た형／thể て・thể た

|  |  | ます形 | て形 | た形 |
|---|---|---|---|---|
| 動詞 (V) | グループ1 | －い／ち／り　ます | －って | －った |
|  |  | か**い**ます | か**って** | か**った** |
|  |  | ま**ち**ます | ま**って** | ま**った** |
|  |  | かえ**り**ます | かえ**って** | かえ**った** |
|  |  | －み／び／に　ます | －んで | －んだ |
|  |  | 読**み**ます | 読**んで** | 読**んだ** |
|  |  | あそ**び**ます | あそ**んで** | あそ**んだ** |
|  |  | し**に**ます | し**んで** | し**んだ** |
|  |  | －します | －して | －した |
|  |  | 話**し**ます | 話**して** | 話**した** |
|  |  | －き／ぎ　ます | －いて／－いで | －いた／－いだ |
|  |  | 聞**き**ます | 聞**いて** | 聞**いた** |
|  |  | およ**ぎ**ます | およ**いで** | およ**いだ** |
|  |  | 行**き**ます※1 | 行**って** | 行**った** |
|  | グループ2 | －ます | －て | －た |
|  |  | 食べ**ます** | 食べ**て** | 食べ**た** |
|  |  | 見**ます** | 見**て** | 見**た** |
|  | グループ3 | **来**ます | **来て** | **来た** |
|  |  | **し**ます | **して** | **した** |
| い形容詞 (A) |  | －いです | －くて | －かった |
|  |  | おいし**いです** | おいし**くて** | おいし**かった** |
|  |  | **いいです**※2 | **よくて** | **よかった** |
| な形容詞 (Na) |  | －です | －で | －だった |
|  |  | げんき**です** | げんき**で** | げんき**だった** |
|  |  | ひま**です** | ひま**で** | ひま**だった** |
| 名詞 (N) |  | －です | －で | －だった |
|  |  | 雨**です** | 雨**で** | 雨**だった** |
|  |  | テスト**です** | テスト**で** | テスト**だった** |

※1 「行きます」は「－きます」ですが、「行いて」「行いた」とは変化しません。

行きます is a －きます verb, but it is not conjugated into terms such as 行いて or 行いた．／「行きます」虽是「－きます」、但不说「行いて」「行いた」。／「行きます」는「－きます」이지만「行いて」「行いた」으로는 변화하지 않는다．／Động từ「行きます」có đuôi「－きます」, nhưng không biến đổi như「行いて」「行いた」.

※2 「いいです」は(A)ですが、「いくて」「いかった」とは変化しません。

いいです is (A), but it is not conjugated into terms such as いくて or いかった．／「いいです」是(A)，但不说「いくて」「いかった」。／「いいです」는 (A) 이지만「いくて」「いかった」로는 변화하지 않는다．／「いいです」là tính từ, nhưng không biến đổi như「いくて」「いかった」.

# 普通形（ふつう） plain form ／一般形／보통형／thể thông thường

|  |  | ます形 | 普通形 |  |  |  |
|---|---|---|---|---|---|---|
|  |  |  | 非過去 肯定 | 非過去 否定 | 過去 肯定 | 過去 否定 |
|  |  |  | 辞書形 | ない形 | た形 | |
| 動詞 (V) | グループ1 | かいます | かう | かわない | かった | かわなかった |
|  |  | まちます | まつ | またない | まった | またなかった |
|  |  | かえります | かえる | かえらない | かえった | かえらなかった |
|  |  | 読みます | 読む | 読まない | 読んだ | 読まなかった |
|  |  | あそびます | あそぶ | あそばない | あそんだ | あそばなかった |
|  |  | しにます | しぬ | しなない | しんだ | しななかった |
|  |  | 話します | 話す | 話さない | 話した | 話さなかった |
|  |  | 聞きます | 聞く | 聞かない | 聞いた | 聞かなかった |
|  |  | およぎます | およぐ | およがない | およいだ | およがなかった |
|  |  | 行きます | 行く | 行かない | 行った | 行かなかった |
|  |  | あります※ | ある | ない | あった | なかった |
|  | グループ2 | 食べます | 食べる | 食べない | 食べた | 食べなかった |
|  |  | 見ます | 見る | 見ない | 見た | 見なかった |
|  | グループ3 | 来ます | 来る | 来ない | 来た | 来なかった |
|  |  | します | する | しない | した | しなかった |
| い形容詞 (A) |  | おいしいです | おいしい | おいしくない | おいしかった | おいしくなかった |
|  |  | いいです | いい | よくない | よかった | よくなかった |
| な形容詞 (Na) |  | げんきです | げんきだ | げんきではない | げんきだった | げんきではなかった |
|  |  | ひまです | ひまだ | ひまではない | ひまだった | ひまではなかった |
| 名詞 (N) |  | 雨です | 雨だ | 雨ではない | 雨だった | 雨ではなかった |
|  |  | テストです | テストだ | テストではない | テストだった | テストではなかった |

※「あります」はグループ1ですが、「あらない」「あらなかった」とは変化しません。

あります is included in group 1, but it is not conjugated into terms such as あらない or あらなかった．／「あります」是組1动词，但不说「あらない」「あらなかった」。／「あります」는 1 그룹이지만「あらない」「あらなかった」로는 변화하지 않는다．／Động từ「あります」thuộc nhóm I, nhưng không biến đổi như「あらない」「あらなかった」．

# 接続詞・接続助詞

Conjunction / conjunctive particle ／接续词、接续助词／접속사・접속조사／liên từ

| | |
|---|---|
| そして・<br>それから | ◆ 前に述べたことに付け加える言い方。<br>A way to add something to something stated earlier. ／在前叙的内容上做追加的说法。／앞에 서술한 것을 덧붙이는 표현 . ／ Cách nói thêm một điều nữa vào những điều đã nói ở phần trước.<br><br>① 昼は 働きました。**そして** 夜は べんきょうしました。<br>② まず 宿題を します。**それから** お風呂に 入ります。 |
| だから・<br>ですから | ◆ 先に理由を述べ、後にその結果を述べる言い方。<br>A way to first state a reason and then state its results. ／先叙述理由，然后叙述其结果的说法。／먼저 이유를 말하고 나중에 그 결과를 말하는 표현. ／ Cách nói lí do trước rồi nói kết quả sau .<br><br>① ゆうべ ねなかった。**だから**、ねむい。<br>② きのう けんかを しました。**ですから**、会いたくありません。<br><br>□ ねむい　sleepy ／困／졸리다／ buồn ngủ<br>□ けんか　fight ／打架／싸움／ cãi nhau |
| でも・<br>しかし・<br>〜が | ◆ 前に述べたことに対して反対の事柄を続けて述べる言い方。<br>A way to continue an earlier statement by discussing an opposing matter. ／表示反对前叙事情的说法。／앞에 서술한 것에 대해 반대되는 내용을 이어서 말하는 표현 . ／ Cách nói những điều ngược lại với những điều đã nói ở phần trước.<br><br>① あのコンピュータが 買いたいです。**でも**、お金が ありません。<br>② ここに 入ってはいけない。**しかし**、ドアが あいている。<br>③ 新幹線のほうが はやい**が**、バスの ほうが やすい。<br><br>□ 新幹線　Shinkansen (bullet train) ／新干线／신칸센／ tàu cao tốc Shinkansen |

# PART 1

## 基本文型の整理
きほんぶんけい せいり

Sorting Out Basic Sentence Patterns
基本句型的整理
기본 문형의 정리
Tóm tắt các mẫu câu cơ bản

# Unit 1 わたしは タスです。

わたしは タスです。
タイの バンコクから 来ました*。

- □ タイ　Thailand (the name of country)／泰国（国名）／타이 (나라 이름)／Thái Lan (tên nước)
- □ バンコク　Bangkok (the name of a place)／万象（地名）／방콕 (지명)／Băng Cốc (địa danh)
- *V過去　a past tense verb／动词的过去式／동사의 과거형／thì quá khứ của động từ

## 1 わたしは タスです。　[〜は]

I am Tass.／我叫塔斯。／나는 타스입니다.／Tôi là Tasu.

① かのじょは かわいい。

② 北海道は さむい。

③ わたしは 食べます。あなたは。

◆主語を表す助詞。
A particle used to indicate a subject.／表示主语的助词。／주어를 나타내는 조사／Trợ từ chỉ chủ ngữ.

- □ かのじょ　she, girlfriend／她／그녀／cô ấy
- □ 北海道　Hokkaido (the name of a region)／北海道（地区名）／홋카이도 (지역 이름)／Hokkaido (tên địa phương)
- ☞ 16（〜は）

N　＋は　　　かのじょは

## 2 わたしは タスです。　[〜です]

I am Tass.／我叫塔斯。／나는 타스입니다.／Tôi là Tasu.

① 学生です。

② かれは 日本人ではありません*。

③ となりの 人は 女性ですか。

◆あるものや人などについて、それが何であるかを表す。
Indicates what something or someone is.／对于某种事物或人物，表示那特指什么。／사물이나 사람 등 그것이 무엇인가를 나타낸다.／Biểu thị rằng một vật hoặc người nào đó là cái gì hoặc ai.

18

- ☐ かれ　　he ／他／그／anh ấy
- ☐ 日本人　Japanese ／日本人／일본인／người Nhật Bản
- ☐ 女性　　female, woman ／女的／여성／phụ nữ
- *N否定　the negative form of a noun ／名词的否定式／명사의 부정형／dạng phủ định của danh từ

| N | ＋です | 学生です |

### ③ バンコク**から**　来ました。　　［〜から］

I am from Bangkok. ／从万象回来了。／방콕에서 왔습니다．／Tôi đến từ Băng Cốc.

① ベトナム**から**　来ました。

② 北海道**から**　はこびました。

③ わたしは　横浜**から**　ひっこします。

◆移動の起点を表す助詞。A particle used to indicate where something is moving from. ／表示移動起点的助詞／이동의 기점을 나타내는 조사／Trợ từ chỉ điểm xuất phát.

- ☐ ベトナム　　Vietnam (the name of country) ／越南（国名）／베트남（나라 이름）／Việt Nam (tên nước)
- ☐ 北海道　　Hokkaido (the name of a region) ／北海道（地区名）／홋카이도（지역 이름）／Hokkaido (tên địa phương)
- ☐ はこびます　to carry ／搬运／나릅니다／mang, chở
- ☐ 横浜　　Yokohama (the name of a place) ／横滨（地名）／요코하마（지명）／Yokohama(địa danh)
- ☐ ひっこします　to move ／搬家／이사합니다／Chuyển nhà

☞ 74（〜から・〜まで）

| N | ＋から | 横浜から |

---

### ふくしゅう

Review ／复习／복습／Ôn tập

■ 下の　ぶんしょうの　（　）に、「は」「です」「から」の　どれかを　入れてください。

1　この本（　　　）むずかしい（　　　）。

2　今日は　横浜（　　　）来ました。

3　これ（　　　）肉ではありません。魚（　　　）。

4　わたし（　　　）東京（　　　）行きます。ともだちは　大阪（　　　）行きます。

# Unit 2 マンガと アニメが 大<ruby>だい</ruby>すきです。

マンガ**と** アニメ**が** 大<ruby>だい</ruby>**すき**です。
毎日<ruby>まいにち</ruby> マンガ**を** 読<ruby>よ</ruby>みます。

- □ マンガ　　manga, comics ／漫画／만화／ truyện tranh
- □ アニメ　　anime, animation ／动画片／만화영화／ hoạt hình

---

### ④ マンガ**と** アニメ　　　　　[〜と〜]

manga and anime, comics and animation ／漫画和动画片／만화와 만화영화／ truyện tranh và hoạt hình

① 休<ruby>やす</ruby>みは　土<ruby>ど</ruby>よう日<ruby>び</ruby>**と**　日<ruby>にち</ruby>よう日<ruby>び</ruby>です。

② おさけ**と**　りょうりです。　どうぞ。

◆複数の名詞をつなぐ助詞。
A particle used to connect multiple nouns. ／连接复数名词的助词。／복수의 명사를 연결하는 조사.／ Trợ từ nối danh từ với danh từ khác.

☞ 78（〜と）　　　　N　＋と＋N　　　　おさけとりょうり

---

### ⑤ マンガと アニメ**が** 大<ruby>だい</ruby>**すき**です。
　　　　　　　　　　　　　　　[〜がすき・きらい]

I love manga and anime. ／非常喜欢漫画和动画片。／만화와 만화영화를 좋아합니다.／ Tôi rất thích truyện tranh và hoạt hình.

① あかと　きいろ**が**　**すき**です。

② わたしは　おふろ**が**　**すきではありません**\*。

③ あなたは　わたし**が**　**きらい**ですか。

◆好きな、あるいは嫌いなものや人を表す。
Used to indicate things and people one likes or dislikes. ／表示喜欢或讨厌的事物与人物。／좋아하는 또는 싫어하는 것이나 사람을 나타낸다.／ Cách nói thích hay ghét ai/cái gì đó.

\* Na 否定　the negative form of な -adjectives. ／な形容詞的否定式／な형용사의 부정형／ thể phủ định của tính từ đuôi な

☞ 28（〜のがすき）　　　N　＋が すきです・きらいです　　　あかがすきです

20

## ⑥ マンガを 読みます。　［～を］

I read manga. ／看漫画。／만화를 읽습니다 . ／ Tôi đọc truyện tranh.

① パソコンを 買いました。

② 日本語を べんきょうします。

③ こんや 何を しますか。

◆ 動作の対象を表す助詞。
A particle used to indicate the target of an action ／表示动作对象的助词。／동작의 대상을 나타내는 조사 / Trợ từ chỉ đối tượng của hành động.

☐ パソコン　computer ／电脑／컴퓨터/ máy tính
☐ こんや　tonight ／今晚／오늘 밤／ tối nay
☞ 66（～を）

N　＋を＋V　　日本語をべんきょうします

---

### ふくしゅう

■ 下の ぶんしょうの （ ）に、「と」「が」「を」の どれかを 入れてください。

1　トイレ（　　　） おふろは どこですか。

2　あした しごと（　　　） しません。

3　えいが（　　　） すきですか。

4　わたしは テレビ（　　　） すきではありません。

5　コーヒー（　　　） 紅茶です。

6　すし（　　　） てんぷら（　　　） 食べます。

## Unit 3 日本で たくさん マンガを 買いたいです。

日本で たくさん マンガを
買いたいです。

### ⑦ 日本で　　　　　　　　　　　　　　　　　[〜で]

in Japan ／在日本／일본에서／ở Nhật Bản

① タイの 大学で 日本語を べんきょうしました。

② わたしは 毎日 おふろで うたいます。

③ へやで DVD を 見ます。

□ タイ　Thailand (the name of country) ／泰国 (国名) ／타이 (나라 이름) ／Thái Lan (tên nước)

☞ 27 (〜で)
☞ 30 (〜で)

◆動作や事象が起こる場所を表す助詞。

A particle used to indicate a location where an action or phenomenon takes place. ／表示动作或事情发生的场所。／동작이나 일이 일어나는 장소를 나타내는 조사. ／Trợ từ chỉ nơi chốn hành động hoặc sự việc xảy ra.

| N | +で+V | おふろでうたいます |

### ⑧ マンガを 買いたいです。　　[〜たい]

I want to buy manga. ／想买漫画。／만화를 사고 싶습니다. ／Tôi muốn mua truyện tranh.

① 母の りょうりを 食べたいです。

② わたしは 会いたくありません。

③ もう少し あそびたかったですか。

◆話し手の願望を表す。

Used to indicate the speaker's desires. ／表示话者的愿望。／화자의 바람을 나타낸다. ／Biểu thị mong muốn của người nói.

\*「〜たい」は A と同じ活用をする。「〜たい」is conjugated in the same way as A（い-adjective). ／「〜たい」与 A（い形容词）的活用相同。／「〜たい」는 A（い형용사）와 같은 활용을 한다. ／Cách chia「〜たい」giống A（tính từ đuôi い）.

☞ 80 (〜がほしい)

| V（ます）ます | ＋たいです | 食べたいです |

22

## ふくしゅう

**1** 下の ぶんしょうの どの（　）に「で」を 入れますか（※ほかの（　）にも ことばを 入れてください）。

1　わたし（　　　）カフェ・ミー（　　　　）べんきょう（　　　　）します。

2　銀座（　　　　）すし（　　　　）てんぷら（　　　　）食べました。

**2** 例の ように 書いてください。

(例)　母の りょうりを ＿＿＿＿食べたい＿＿＿＿ です。
　　　　　　　　　　　　　食べます＋たい

1　わたしは ＿＿＿＿＿＿＿＿＿＿＿＿＿＿＿＿＿＿です。
　　　　　　　　カラオケを します＋たい

2　さむい！＿＿＿＿＿＿＿＿＿＿＿＿＿＿＿＿＿＿！
　　　　　　　およぎます＋たい＋ありません

# Unit 4 よく 秋葉原や 原宿へ 行きます。

よく 秋葉原(あきはばら)や 原宿(はらじゅく)へ 行(い)きます。

- □ 秋葉原　Akihabara (the name of a place) ／秋叶原（地名）／아키하바라 ( 지명 ) ／ Akihabara (địa danh)
- □ 原宿　Harajuku (the name of a place) ／原宿（地名）／하라주쿠 ( 지명 ) ／ Harajuku (địa danh)

## ⑨ よく 行(い)きます。　[よく・ときどき・あまり〜ない・ぜんぜん〜ない]

Often go. ／经常去。／자주 갑니다 . ／ Tôi hay đi.

① いえで **よく** えいがを 見(み)ます。

② おふろは **ときどき** 入(はい)ります。

③ かれは **あまり** べんきょうを **しません**\*。

④ かれは **ぜんぜん** スポーツを **しません**。

◆ 動作の頻度を表す副詞。

An adverb used to indicate the frequency of an action. ／表示动作频度的副词。／동작의 빈도를 나타내는 부사／ Trạng từ chỉ mức độ thường xuyên của một hành động.

- □ ぜんぜん〜ません　not at all ／全然 , 完全／전혀／ hoàn toàn không
- ＊ Ｖ否定　the negative form of a verb ／动词的否定式／동사의 부정형／ dạng phủ định của động từ

☞ 12（あまり〜ない）

## ⑩ 秋葉原(あきはばら)や 原宿(はらじゅく)　[〜や〜（など）]

Akihabara and Harajuku. ／秋叶原啦原宿什么地方／아키하바라나 하라주쿠／ Akihabara và Shinjyuku

① スマホ**や** さいふを わすれました。

② コンビニ**や** スーパー**など**で 買(か)い物(もの)を します。

◆ 複数の名詞をつなぐ助詞。たくさんある中からいくつかを挙げる表現。

A particle used to connect multiple nouns. An expression used to point out a few items from among many. ／连接复数名词的助词。从众多中例举几个的表现。／복수의 명사를 연결하는 조사 . 많이 있는 가운데 몇 가지를 말하는 표현 . ／ Trợ từ nối danh từ với danh từ khác. Được sử dụng để liệt kê một vài thứ trong nhiều thứ.

24

- [ ] スマホ　smartphone／智能手机／스마트폰／điện thoại thông minh
- [ ] コンビニ　convenience store／便利店／편의점／cửa hàng tiện lợi
- [ ] スーパー　supermarket／超市／슈퍼마켓／siêu thị

N　＋や＋N（＋など）　　スマホやさいふ

⑪ 秋葉原や　原宿へ　行きます。
I go to Akihabara and Harajuku.／
去秋叶原啦原宿什么地方。／
아키하바라나 하라주쿠에 갑니다．／Tôi đi Akihabara và Shinjyuku.

[〜へ・〜に]

① うちに　帰りたいです。
② 毎日　ここへ　来ます。
③ どこに　行きますか。

◆移動の方向や到着地点を表す助詞。「行く」「帰る」「来る」などの移動動詞と使われる。

A particle used to indicate the direction or arrival point of a movement. Often used with movement verbs such as 行く、帰る、and 来る．／表示移动方向及到达地点的助词。与「行く」「帰る」「来る」等移动动词一起使用。／이동 방향이나 도착 지점을 나타내는 조사．「行く」「帰る」「来る」등의 이동을 나타내는 동사와 함께 사용된다．／Trợ từ chỉ phương hướng di chuyển. Thường được sử dụng cùng với những động từ chỉ sự di chuyển như「行く」「帰る」「来る」.

- [ ] うち　home／家／집／nhà
- [ ] どこ　where／哪儿／어디／đâu

☞15（〜に）
☞79（〜に）

N　＋へ・に＋V　　うちへ帰ります

---

## ふくしゅう

**❶ 正しい　ほうを　えらんでください。**

1　かれは（a.ときどき　b.あまり）やさしいです。

2　わたしは（a.よく　b.ぜんぜん）新聞を　よみません。

**❷ 下の　ぶんしょうの（　）に、「や」「へ」の　どちらかを　入れてください。**

1　あした、国（　　）帰ります。

2　ぼうし（　　）手袋を　買いたいです。

Unit 5

# あまいものは あまり すきではありません。

わたしは あまい ものは **あまり** すきではあり**ません**。 **たとえば** ケーキや チョコレートなどです。

☐ ケーキ　cake／蛋糕／케이크／bánh ga-tô
☐ チョコレート　chocolate／巧克力／초콜릿／sô-cô-la

## ⑫ あまい ものは **あまり** すきではあり**ません**。
[あまり～ない]

I don't like sweet things very much.／甜的东西不太喜欢。／단 것은 별로 좋아하지 않습니다.／Tôi không thích ăn đồ ngọt lắm.

① かのじょは **あまり** まじめではあり**ません**。
② ちこくは **あまり** よく**ない***です。
③ 毎日 **あまり** ね**ません**。 5時間ぐらいです。

◆程度が高くないことを表す副詞。
An adverb used to indicate that something is not high in degree.／表示程度不高的副词。／정도가 높지 않은 것을 나타내는 부사.／Trạng từ chỉ mức độ hạn định.

☐ まじめ　serious／认真的／성실한／chăm chỉ
☐ ちこく　late／迟到／지각／đến muộn

＊ A否定　negative form of an い-adjective／い形容词的否定式／い형용사의 부정형／dạng phủ định của tính từ đuôi い

☞ 9（あまり～ない）

## ⑬ **たとえば** ケーキや チョコレートなど
[たとえば～]

For example, cakes, chocolates, and so on.／比如蛋糕、巧克力什么的。／예를 들면 케이크나 초콜릿 등／ví dụ như là bánh ga-tô, sô-cô-la v.v..

① 緊急の とき、**たとえば** 事故や 病気の とき。
② よく おんがくを 聞きます。 **たとえば** クラシックや ジャズなどです。

◆具体的な例を表す副詞。
An adverb used to indicate a concrete example.／表示具体事例的副词。／구체적인 예를 나타내는 부사／Trạng từ được sử dụng để nêu ra ví dụ cụ thể.

26

- ☐ 緊急　emergency ／紧急／긴급／ khẩn cấp
- ☐ 事故　accident ／事故／사고／ tai nạn
- ☐ クラシック　classic ／古典音乐／클래식／ nhạc cổ điển
- ☐ ジャズ　Jazz ／爵士乐／재즈／ jazz

## ふくしゅう

**1 例の ように 書いてください。**

(例) 毎日 あまり ___ねません___。
　　　　　　　　　　ねます

1　かれは あまり ＿＿＿＿＿＿＿＿。
　　　　　　　　　　話します

2　おさけは あまり ＿＿＿＿＿＿＿＿＿＿＿。
　　　　　　　　　　飲みたいです

**2 例の ように 書いてください。**

(例) あまい もの、たとえば ___ケーキや チョコレートなど___ が すきです。

1　冬の スポーツは、たとえば ＿＿＿＿＿＿＿＿＿＿＿＿が あります。

2　わたしは よく 日本りょうりを 食べます。たとえば ＿＿＿＿＿＿＿＿ です。

# Unit 1 〜 Unit 5 実戦練習

15分でチャレンジ

**もんだい1** （　）に 何を 入れますか。1・2・3・4から いちばん いい ものを 一つ えらんで ください。

1　A「どこ（　　　）日本語を べんきょうしましたか。」
　　B「東京です。」
　　1　で　　　　2　を　　　　3　に　　　　4　へ

2　おさけを （　　　）たいです。
　　1　飲み　　　2　飲む　　　3　飲みます　　4　飲みまし

3　日よう日は おんがく（　　　）ラジオなどを 聞きます。
　　1　が　　　　2　と　　　　3　や　　　　4　に

4　来週、奈良（　　　）行きます。
　　1　が　　　　2　と　　　　3　を　　　　4　へ

5　あまいものが （　　　）です。
　　1　からい　　2　きらい　　3　何　　　　4　あまり

6　はなさんは やさいを ぜんぜん （　　　）。
　　1　食べます　2　食べたい　3　食べません　4　食べました

**もんだい2** ★に 入る ものは どれですか。1・2・3・4から いちばん いい ものを 一つ えらんで ください。

**7** わたし ____ ★ ____ ____ です。

1 すき　　　2 は　　　3 いぬ　　　4 が

**8** わたしの 休み ____ ____ ★ ____ 日よう日です。

1 土よう日　　　2 は　　　3 と　　　4 毎週

**9** となりの ____ ____ ★ ____ へやですか。

1 は　　　2 へや　　　3 の　　　4 はなさん

**もんだい3** 10 から 13 に 何を 入れますか。ぶんしょうの いみを かんがえて、1・2・3・4から いちばん いい ものを 一つ えらんで ください。

じこしょうかいの ぶんしょうを 書きました。あした クラスの みんなの 前で 話します。

　みなさん、はじめまして。タスです。タイの バンコク 10 来ました。日本語学校の 学生です。
　わたしは 11 日本語が じょうずではありません。 12 、 13 こまります。日本語の べんきょうを がんばります。どうぞ よろしく おねがいします。

**10** 1 で　　　2 は　　　3 と　　　4 から

**11** 1 だから　　　2 よく　　　3 たとえば　　　4 あまり

**12** 1 しかし　　　2 だから　　　3 でも　　　4 それから

**13** 1 ぜんぜん　　　2 ときどき　　　3 あまり　　　4 たとえば

# Unit 6 わたしの すきな 喫茶店は カフェ・ミーです。

わたしの すきな 喫茶店は カフェ・ミーです。
きちじょうじに あります。

- □ カフェ　café／咖啡店／카페／quán cà phê
- □ きちじょうじ　Kichijoji (the name of a place)／吉祥寺（地名）／기치죠지 ( 지명 )／Kichijoji (địa danh)

## ⑭ わたしの すきな 喫茶店　［〜の・〜が］

a café I like／我喜欢的咖啡店／내가 좋아하는 커피숍／quán cà phê mà tôi thích

① わたしが すきな 人は かれです。

② Aクラスは、先生の おもしろい クラスです。

◆名詞修飾節における主体を表す。
Indicates the subject of a noun-modifying clause.／表示名词修饰句中的主体。／명사 수식절에서 주체를 나타낸다．／Chỉ chủ thể của cụm từ bổ nghĩa.

- □ かれ　he／他／그／anh ấy
- ☞ 58 (〜の)

| N | ＋の・が | わたしのすきな人 |

## ⑮ きちじょうじに あります。　［〜にある・いる］

It is in Kichijoji.／在吉祥寺。／기치죠지에 있습니다．／Nằm ở Kichijyoji.

① ぎんこうは えき前に あります。

② 両親は 国に います。

◆存在の場所を表す。
Used to indicate the location of an existence／表示存在的场所。／존재의 장소를 나타낸다．／Chỉ nơi chốn tồn tại.

- □ えき前　in front of the station／站前／역 앞／trước nhà ga
- ☞ 11 (〜に)
- ☞ 79 (〜に)

| N | ＋に あります・います | えき前にあります |

## ふくしゅう

■下の ぶんしょうの （ ）に、「の」 または 「に」の どちらかを 入れてください。

1　はなさん（　　　） すきな 食べ物は ぶたにくです。

2　今 はなさんは 北海道（　　　） います。

3　わたし（　　　） とくいな りょうりは カレーです。

4　スカイツリーは 浅草（　　　） あります。

## Unit 7 カフェ・ミーには、ねこが います。

カフェ・ミーには、ねこが います。
そして\*、ピアノが あります。

□ ピアノ　piano／钢琴／피아노／đàn pianô

\*接続詞・接続助詞 conjunction, conjunctive particle／接续词．接续助词／접속사．접속 조사／liên từ　☞ p.15

### ⑯ カフェ・ミーには　［～は］

at Café Me／在咖啡店ミー里／카페 미에는／Ở Cà phê Mi

① ぎゅうにくは 食べません。 でも、ぶたにくは 食べます。

② あなたには 会いたくありません。

③ へやの 中では タバコを すいません。

☞ 1（～は）

◆いくつかの中でそれだけをとりたてる助詞。

A particle used to pick one item out of multiple items.／表示在众多中只提及一个的助词。／몇 가지 중에서 그것 만을 강조하는 조사．／Trợ từ được sử dụng để nhấn mạnh một vật trong một vài đồ vật.

N　＋は　　　　ぎゅうにくは

## 17 ねこが います。 ピアノが あります。 [～がいる・～がある]

There is a cat. There is a piano.／有猫。有钢琴。／고양이가 있습니다. 피아노가 있습니다.／Có con mèo. Có đàn pianô.

① おふろに 虫が います！

② ビールが ありません。

③ この へやには 人が いません。

◆生物やものの存在を表す。
Used to indicate the existence of living creatures or objects.／表示生物及东西的存在。／생물이나 사물의 존재를 나타낸다.／Chỉ sự tồn tại của động vật hoặc đồ vật.

- 虫　bug／虫子／벌레／côn trùng
- ビール　beer／啤酒／맥주／bia

| N　+が あります・います | 虫が います |
| --- | --- |

### ふくしゅう

■ 下の ぶんしょうの （　）に、「あります」 または 「います」 の どちらかを 入れてください。

1　テーブルの 上に 花が （　　　　）。

2　教室に だれが （　　　　）か。

3　いけに さかなが （　　　　）。

4　れいぞうこに さかなが （　　　　）。

## Unit 8 京都と 奈良と どちらが いいですか。

A: 関西へ 桜を 見に 行きます。
京都と 奈良と どちらが いいですか。

B: 奈良の ほうが いいですよ。

- 関西　Kansai (the name of a region)／关西（地区名）／간사이（지역 이름）／Kansai (tên địa phương)
- 桜　sakura, cherry blossoms／樱花／벚꽃／hoa anh đào
- 京都　Kyoto (the name of a place)／京都（地名）／교토（지명）／Kyoto (địa danh)
- 奈良　Nara (the name of a place)／奈良（地名）／나라（지명）／Nara (địa danh)

### ⑱ 桜を 見に 行きます。
[〜に行く・〜に来る]

I will go to see cherry blossoms.／去看樱花。／벚꽃을 보러 갑니다.／Đi xem hoa anh đào.

① こんや ともだちが いえに あそびに 来ます。
② えきに かのじょを むかえに 行きました。
③ 食事に 行きます。すぐに もどります。

◆移動の目的を表す。「行く」「来る」のほかに「帰る」「出る」「戻る」などの移動動詞と使う。

Indicates the purpose of a movement. In addition to 行く and 来る, it can also be used with movement verbs such as 帰る、出る、and 戻る.／表示移动的目的。除了「行く」「来る」外，还与「帰る」「出る」「戻る」等表示移动动词一起使用。／이동의 목적을 나타낸다. 「行く」「来る」외에도「帰る」「出る」「戻る」등의 이동 동사와 같이 사용한다.／Biểu thị mục đích di chuyển. Ngoài「行く」「来る」ra, còn có thể sử dụng cùng với những động từ chỉ sự di chuyển như「帰る」「出る」「戻る」.

- かのじょ　she／她／그녀／cô ấy
- むかえに行きます　to go to meet／去迎接／마중하러 갑니다／đi đón
- 食事　meal／吃饭／식사／bữa ăn
- もどります　to go back／回、返回／돌아갑니다／quay lại

| V（ます）ます<br>N | ＋に＋V | あそびに来ます<br>食事に行きます |

### ⑲ 京都と 奈良と どちらが いいですか。
奈良の ほうが いいですよ。
[〜と〜とどちらが・〜のほうが]

"Which is better, Kyoto or Nara? Nara is better."／京都和奈良哪个好？奈良好。／교토와 나라 어느 쪽이 좋습니까? 나라 쪽이 좋습니다.／"Kyoto và Nara nơi nào hay hơn? Nara hay hơn."

① ビールと ワインと どちらが すきですか。
② ワインの ほうが すきです。

◆ふたつのものを比較する表現。

An expression used to compare two things.／比较两个事物的表现／두 가지를 비교하는 표현／Cách so sánh giữa hai vật.

34

- ☐ ビール　beer／啤酒／맥주／bia
- ☐ ワイン　wine／葡萄酒／와인／rượu vang

| N | ＋と＋N＋と　どちらが<br>＋のほうが | ビールとワインとどちらが<br>ワインのほうが |
|---|---|---|

## ⑳ 奈良の　ほうが　いいです**よ**。
[〜よ・〜ね]

Nara is better.／还是奈良好啊／나라 쪽이 좋습니다．／Nara hay hơn.

① あ、ねこが　います**よ**！
② 今日の　デートは　たのしかった*です**ね**。
③ さむいです**ね**。　はやく　うちへ　帰りたいです**ね**。

◆〜よ
聞き手にとっての新情報を提出するときに用いる終助詞。
A sentence-ending particle used when submitting new information to the listener.／对听者提出新情报时使用的终助词。／청자에게 새로운 정보를 줄 때 사용하는 종조사．／Trợ từ cuối câu được sử dụng khi đưa ra thông tin mới cho người nghe.

◆〜ね
聞き手にとって既知の情報を提出し、確認をうながすときに用いる終助詞。
A sentence-ending particle used when providing information that the listener already knows in order to encourage agreement or confirmation.／对听者提出既知的情报，表示确认时使用的终助词。／청자가 이미 알고 있는 정보의 동의를 구하는 종조사．／Trợ từ cuối câu được sử dụng khi muốn người nghe xác nhận lại thông tin mà người nghe đã biết.

- ☐ デート　date／约会／데이트／hẹn hò
- ＊A過去　past tense of an adjective／形容词的过去式／형용사의 과거형／thì quá khứ của tính từ

### ふくしゅう

**❶ 例の　ように　書いてください。**

> （例）こんや　ともだちが　いえに　<u>あそびに　来ます</u>。
> 　　　　　　　　　　　　　　　あそびます＋来ます

1　日本へ　ともだちに　_____。
　　　　　　　　　　　　会います＋来ました

2　タスさんは　うちへ　わすれものを　_____。
　　　　　　　　　　　　　　　　　　　　とります＋帰りました

**❷ 例の　ように　書いてください。**

> （例）A「ビールと　ワインと　どちらが　すきですか。」
> 　　　B「ワイン<u>　の　ほうが　すきです　</u>。」

1　A「1月と　2月と　どちらが　さむいですか。」
　　B「2月_____。」

2　A「バスと　じてんしゃと　_____か。」
　　B「バスの　ほうが　はやいです。」

Part 1 基本文型の整理

Unit 1〜5
Unit 6〜10
Unit 11〜15
Unit 16〜20
Unit 21〜25
Unit 26〜31

## Unit 9 奈良の 桜は、いつが いちばん きれいですか。

A: 奈良の 桜は、いつが いちばん きれいですか。

B: 3月30日ごろだ*と おもいます。

□ きれい　beautiful／漂亮的／예쁜／đẹp

＊V・A・Na・N（ふつう）　plain form of verbs, い-adjectives, な-adjectives, and nouns／动词・い形容词・な形容词・名词的一般式／동사, い형용사, な형용사, 명사의 보통형／thể thông thường của động từ, tính từ đuôi い, tính từ đuôi な và danh từ

### ㉑ 奈良の 桜は、いつが いちばん きれいですか。　［～がいちばん］

When are the sakura in Nara the most beautiful?／奈良的樱花什么时候最漂亮？／나라의 벚꽃은 언제가 가장 아름답습니까？／Hoa anh đào ở Nara khi nào đẹp nhất?

① 日本は 8月が いちばん あついです。
② AとBとCの中で どれが いちばん 安いですか。
③ この 学校で だれが いちばん きれいですか。

　　　　　　　　　　　　N　がいちばん　　8月がいちばん

◆いくつかある中で最も程度の高いものを表す。
Used to indicate the highest in degree of something among a group of many.／表示在几个当中程度最高的事物。／몇 가지 있는 것 중에서 가장 정도가 높은 것을 나타낸다．／Biểu thị mức độ cao nhất trong một vài đồ vật.

### ㉒ 3月30日ごろ　［～ごろ］

around March 30／3月30号左右／3월 30일쯤／khoảng ngày 30 tháng 3

① 8時ごろ 起きます。
② いつごろ 行きますか。
③ 来年の 今ごろは 大学生です。

□ 今　now／现在／지금／hiện nay
□ 大学生　university student／大学生／대학생／sinh viên đại học
☞ 67（～ぐらい・くらい）

◆だいたいの時間を表す。
Indicates the approximate time.／表示大致的时间／대강의 시간을 나타낸다．／Chỉ khoảng thời gian được giới hạn một cách đại khái.

## 23　3月30日ごろだと おもいます。　[〜とおもう]

Around March 30, I think.／我想是3月30号左右。／3월 30일쯤이라고 생각합니다.／Tôi nghĩ chắc khoảng ngày 30 tháng 3.

① はなさんは 来ないと おもいます。

② ちょっと ねだんが 高いと おもいます。

③ 日本語と 英語と どちらが かんたんだと おもいますか。

◆話し手の考えを表す。
Used to indicate the speaker's thoughts.／表示话者的想法。／화자의 생각을 나타낸다.／Biểu thị cảm nghĩ của người nói.

□ねだん　price／价格／값／giá cả

| V（ふつう） | | 来るとおもいます |
| A（ふつう） | +とおもいます | 高いとおもいます |
| Na（ふつう） | | かんたんだとおもいます |
| N（ふつう） | | 30日ごろだとおもいます |

### ふくしゅう

**1** 例の ように 書いてください。

（例）A「この学校で だれが いちばん きれいですか。」
　　　B「はなさんが いちばん きれいです。」

1　A「あなたの 国で 何月が いちばん あついですか。」
　　B「_____。」

2　A「スポーツの 中で 何が いちばん すきですか。」
　　B「_____。」

**2** 例の ように 書いてください。

（例）はなさんは ＿来ない＿ と おもいます。
　　　　　　　　　来ません

1　しゅんくんは はなさんが _____と おもいます。
　　　　　　　　　　　　　　すきです

2　ことしは 国へ _____と おもいます。
　　　　　　　　　　帰ります

3　かのじょは 10年前は _____と おもいます。
　　　　　　　　　　　　　しあわせでした

## Unit 10 はなさんも 行きませんか。

A：わたし**たち**は お昼ごはんを 食べに 行きます。
　　はなさん**も** 行き**ませんか**。
B：はい。行きます。

□ お昼ごはん　lunch／午饭／점심／bữa ăn trưa

### ㉔ わたし**たち**は　　　　　　　　　　［〜たち］

We〜／我们〜／우리들은 〜／chúng tôi 〜

① 子ども**たち**は あそびに 行きました。
② ぼく**たち**、 がんばります。

□ ぼく　I (male)／我 ( 男性 )／나 ( 남자의 일인칭 )／tôi
□ がんばります　to do one's best／加油、努力／열심히 하겠습니다／cố gắng

◆ 人を表す名詞や代名詞の複数形を表す。
Expresses the plural form of a noun or pronoun used to indicate a person.／表示人物的名词及代名词的复数形。／사람을 나타내는 명사나 대명사의 복수형을 나타낸다．／Dạng số nhiều của danh từ hoặc đại từ chỉ người.

N　＋たち　　子どもたち

### ㉕ はなさん**も** 行きませんか。　　［〜も］

Won't you also come, Hana-san?／華小姐不去吗?(華小姐你也去吧)／하나 씨도 가지 않겠어요?／Cô Hana có cùng đi không?

① かのじょ**も** すきです。
② わたし**も** わかりません。

☞ 62（〜も）

◆ ほかと同様であると言えることを表す助詞。
A particle used to indicate that something can be said to be the same as others.／表示与其他同样的助词。／다른 것과 마찬가지라고 말할 수 있는 것을 나타내는 조사／Trợ từ biểu thị sự giống nhau.

N　＋も　　かのじょも

## ㉖ はなさんも 行き**ませんか**。　[～ませんか]

Won't you also come, Hana-san?／華小姐不去吗?(華小姐你也去吧)／하나 씨도 가지 않겠어요?／Cô Hana có cùng đi không?

① 週末、うちに あそびに 来**ませんか**。

② ゆっくり 話を し**ませんか**。

③ しつもんは あり**ませんか**。

◆ ていねいな疑問または勧誘の表現。
A polite interrogative or invitational expression.／表示郑重的疑问或劝诱。／정중한 의문 또는 권유하는 표현／Câu hỏi lịch sự hoặc câu hỏi rủ rê.

□ 週末　weekend／周末／주말／cuối tuần

V(ます)<s>ます</s>　＋ませんか　　話をしませんか

---

### ふくしゅう

■ 例の ように 書いてください。

(例) 週末、うちに あそびに ___来ませんか___ 。

1　あした、食事に ＿＿＿＿＿＿＿＿。

2　日よう日、サッカーを ＿＿＿＿＿＿＿＿。

3　ワインを ＿＿＿＿＿＿＿＿。

# Unit 6 ～ Unit 10 実戦練習(じっせんれんしゅう)

⏳ 15分でチャレンジ

**もんだい1** （　）に 何を 入れますか。1・2・3・4から いちばん いい ものを 一つ えらんで ください。

1　A「タスさんは 2時ごろ 帰りました（　　　）。」
　　B「そうですか。ありがとう。」

　　1　か　　　　2　ね　　　　3　と　　　　4　よ

2　A「先生、タスさんは 今日も 学校に（　　　）と おもいます。」
　　B「そうですか。タスさんは かぜを ひきましたか。」

　　1　来ません　　　　　　　　2　来ませんでした
　　3　来た　　　　　　　　　　4　来ない

3　わたしは ビール（　　　）ワインも 飲みます。

　　1　と　　　　2　も　　　　3　は　　　　4　を

4　金よう日の よる7時（　　　）、会いませんか。

　　1　へ　　　　2　で　　　　3　ごろ　　　　4　など

5　いつ 時間が ありますか。（　　　）金よう日や 土よう日は どうですか。

　　1　よく　　　　2　たとえば　　　　3　あまり　　　　4　ぜんぜん

**もんだい2** ＿★＿に 入る ものは どれですか。1・2・3・4から いちばん いい ものを 一つ えらんで ください。

6　この クラスの 中＿＿＿＿＿★＿＿＿＿＿＿＿＿＿背が 高いですか。

　　1　で　　　　2　が　　　　3　だれ　　　　4　いちばん

**7** さいふは ____ ____ ★ ____ あります。

1 の　　　　2 中　　　　3 に　　　　4 車

**8** A「お茶と ____ ★ ____ ____ いいですか。」
　B「どちらでも いいです。」

1 どちら　　　2 コーヒー　　3 と　　　　4 が

**9** わたし ____ ____ ★ ____ 原先生です。

1 先生　　　　2 は　　　　3 すきな　　　4 の

**もんだい3**　10 から 13 に 何を 入れますか。ぶんしょうの いみを かんがえて、1・2・3・4から いちばん いい ものを 一つ えらんで ください。

　わたしは 休みの 日は よく 喫茶店へ 行きます。喫茶店 10 かわいい ねこが 11 。しろい ねこです。なまえは ミーです。ミーは いつも ピアノの 上で ねます。たくさんの おきゃくさんが ミーに 12 。ミーは 女の人が すきです。だから いつも 女の人の そばに 13 。

**10**　1 では　　　2 へは　　　3 には　　　4 とは

**11**　1 あります　2 します　　3 います　　4 すきです

**12**　1 来るとおもいます　　2 会いませんか
　　　3 来ます　　　　　　　4 会いに来ます

**13**　1 あります　2 します　　3 います　　4 すきです

# Unit 11 ひとりで 旅行するのが すきです。

A: ひとりで 旅行するのが すきです。
B: へえ。
A: 自由ですから ね。

□ 自由　freedom／自由／자유／tự do

## 27 ひとりで　　　　　　　　　　[〜で]

alone／一个人／혼자서／một mình

① いつも ひとりで えいがを 見ます。
② みんなで あそびに 行きました。
③ かぞくで バーベキューを しました。

□ バーベキュー　barbecue／烧烤／바비큐／ba-bê-kiu
☞ 7（〜で）
☞ 30（〜で）

◆ある行為をする人の数量を表す。
Indicates the number of people performing an action.／表示进行某种行为的人数。／어떤 행위를 하는 사람의 수를 나타낸다./ Biểu thị số người làm hành động nào đó.

N　　+で　　　　かぞくで

## 28 旅行するのが すきです。
[〜のがすき・きらい]

I like traveling.／喜欢旅行。／
여행하는 것을 좋아합니다.／Tôi thích đi du lịch.

① 朝 はしるのが すきです。
② かれは うんてんするのが へたです。
③ わたしは おふろに 入るのが きらいです。

◆ある行為についての話し手の感情や評価（すき・きらい・下手・上手など）を表すとき、その行為を名詞化して表現する。「〜こと」と同じ。

Used to nominalize an action when expressing the speaker's feelings or evaluations (すき、きらい、下手、上手, etc.) about given action. The same as 〜こと.／用于表示对某种行为话者的感情，评价时（すき・きらい・下手・上手等），是将其行为名词化的表现。与「〜こと」相同。／어떤 행위에 대해서 화자의 감정이나 평가 (すき・きらい・下手・上手등) 를 나타낼 때 그 행위를 명사화 해서 표현한다.「〜こと」와 같음／Khi biểu thị tâm trạng hoặc đánh giá (すき・きらい・下手・上手 v.v.) đối với một hành động nào đó, cần phải danh từ hóa động từ chỉ hành động đó. Tương tự như「〜こと」.

- □ かれ　he／他／ユ／anh ấy
- □ うんてんします　to drive／开车、驾驶／운전하다／lái xe

☞ 5（〜がすき）　　V（じしょ）　＋のが＋すきです・きらいです　　はしるのがすきです

### ㉙ 自由ですからね。　　［〜から］

Because I have the freedom to do what I want.／因为很自由啊。／자유니까요．／Tự do mà.

① 雪だから　中止です。
② くすりを　飲んだから　だいじょうぶです。
③ おいしかったから　また　食べたいです。

◆原因・理由の表現。
An expression of cause or reason.／表示原因．理由。／원인，이유를 나타내는 표현／Cách nói nguyên nhân, lí do.

- □ 中止　suspension, cancellation／中止、停止／중지／huỷ bỏ
- □ また　again／又、再／또한／lại

☞ 31（〜ので）

V（ふつう）・V（ます）ます
A（ふつう）・Aです　　　　　　＋から
Na（ふつう）・Naです
N（ふつう）・Nです

くすりを飲んだから
おいしかったから
自由ですから
雪だから

---

### ふくしゅう

■例のように　書いてください。

（例）朝　<u>はしる</u>　のが　すきです。
　　　　　はしります

1　ビールが _____ から　よく　飲みます。
　　　　　　すきです

2　_____ から　行きません。
　　いそがしいです

3　山田先生は _____ のが　じょうずです。
　　　　　　　　　おしえます

4　日本語を _____ のが　へたです。
　　　　　　　書きます

43

## Unit 12 電車で 行きましょう。

A: 車で 行きますか。
　　電車で 行きますか。
B: 道が こむので、
　　電車で 行きましょう。

□ こむ（こみます）　to become crowded／拥挤、拥堵／붐빕니다／đông đúc

### 30　車で 行きますか。　［〜で］

Will we go by car?／坐车去吗?／차로 갑니까?／Có đi bằng xe không?

① 北海道へ 行きたいです。何で 行きますか。
② フェリーで 行きます。17時間くらいです。
③ ボールペンで 書きます。

◆動作に使う道具・手段を表す助詞。
A particle used to express tools or methods used in performing an action.／表示动作使用的工具．手段。／동작에 사용되는 도구나 수단을 나타내는 조사．／Trợ từ chỉ dụng cụ, phương tiện để tiến hành một hành động nào đó.

□ 北海道　Hokkaido (the name of a region)／北海道（地区名）／홋카이도（지역 이름）／Hokkaido (tên địa phương)
□ フェリー　ferry／客船／페리／phà
☞ 7（〜で）
☞ 27（〜で）

N　＋で＋V　　ペンで書きます

### 31　道が こむので　［〜ので］

Because the road will be crowded／因为路上堵车／길이 붐비어서／Vì đường đông

① 熱が あるので 休みます。
② おそいので 先に 行きます。

◆原因・理由の表現。「〜から」よりていねいな印象を与える。
An expression of cause or reason. Gives a more polite impression than 〜から．／表示原因．理由。比「〜から」印象郑重。／원인, 이유를 나타내는 표현．「〜から」보다 정중한 인상을 준다．／Cách nói nguyên nhân, lí do một cách lịch sự hơn「〜から」.

□ 熱　fever／发烧／열／sốt
☞ 29（〜から）

V（ふつう）・V（ます）ます
A（ふつう）・Aです
Na（ふつう）・Naです　※Na だ な
N（ふつう）・Nです　※N だ な

＋ので

道がこむので
おそいので
有名なので
男ですので

## 32 電車で 行き**ましょう**。　[～ましょう]

Let's go by train. ／坐电车去吧。／전차로 갑시다 . ／Hãy đi bằng tàu điện.

① いっしょに 帰り**ましょう**。

② 飲み会、また やり**ましょう**。

③ もう一度 がんばり**ましょう**。

◆ 勧誘や指示の表現。
An expression of invitation or indication. ／表示劝诱、指示。／권유나 지시를 나타내는 표현／Cách rủ rê hoặc chỉ dẫn.

□ 飲み会　drinking party ／宴会／회식／ bữa nhậu
□ また　again ／又、再／또한／ lại
□ がんばります　to do one's best ／加油、努力／열심히 하겠습니다 . ／ cố gắng

☞ 45（～ましょうか）

V(ます)ます　＋ましょう　帰りましょう

## ふくしゅう

**1** 例の ように 書いてください。

(例) ___熱がある___ ので 休みます。

1 _____ ので 銀行は 休みです。

2 _____ ので、べんきょうします。

**2** 例の ように 書いてください。

(例) いっしょに ___帰りましょう___ 。
　　　　　　　　　　帰ります

1 いっしょに _____ 。
　　　　　　　　　うたいます

2 12時です。お昼ごはんを _____ 。
　　　　　　　　　　　　　　　　食べます

# Unit 13 どうやって きめますか。

A: **この** お金(かね)、**どうやって**
つかい**かた**を きめますか。

B: まず 話(はな)し合(あ)いましょう。
それから * きめましょう。

- □ きめます　to decide ／決定／정합니다／ quyết định
- □ まず　first ／先／우선／ trước tiên
- □ 話し合います　to discuss, to talk together about ／协议、谈判／서로 상의합니다／ bàn bạc

＊接続詞・接続助詞 conjunction, conjunctive particle ／接续词．接续助词／접속사，접속 조사／ liên từ　☞ p.15

---

### 33　この お金(かね)　[こ・そ・あ・ど]

this money ／这钱／이 돈／ tiền này

① **あの** きれいな 人(ひと)は はなさんです。

② **ここ**で うたいます。

③ **それ**は いくらですか。

◆ 指示詞。ものの場合は「これ・それ・あれ・どれ」、場所の場合は「ここ・そこ・あそこ・どこ」、名詞を修飾する場合は「このN・そのN・あのN・どのN」となる。

A demonstrative term. これ・それ・あれ・どれ is used for objects, ここ・そこ・あそこ・どこ is used for places, and このN・そのN・あのN・どのN is used when modifying nouns. ／指示词。事物用「これ・それ・あれ・どれ」，场所用「ここ・そこ・あそこ・どこ」，修饰名词时用「このN・そのN・あのN・どのN」。／지시어．사물의 경우는「これ・それ・あれ・どれ」장소의 경우는「ここ・そこ・あそこ・どこ」명사를 수식하는 경우는「このN・そのN・あのN・どのN」이 된다．／ Từ chỉ thị. Khi chỉ đồ vật thì sẽ thành「これ・それ・あれ・どれ」, khi chỉ nơi chốn thì thành「ここ・そこ・あそこ・どこ」, còn khi bổ nghĩa cho danh từ thì thành「このN・そのN・あのN・どのN」.

---

### 34　どうやって きめますか。　　[どうやって]

How do we decide it? ／怎么决定？／어떻게 정합니까？／ Làm thế nào để bạn quyết định nó?

① この りょうり、**どうやって** つくりますか。

② これから **どうやって** せいかつしますか。

③ **どうやって** ダイエットしましたか。

◆ ある行為をする方法をたずねるときの表現。

An expression used to ask how to perform a certain action. ／用于询问某种行为的方法。／어떤 행위를 하는 방법을 물을 때의 표현／ Cách hỏi phương pháp để tiến hành một hành động nào đó.

- □ せいかつします　to live ／生活／생활합니다／ sống, sinh sống, sinh hoạt
- □ ダイエットします　to diet ／减肥／다이어트합니다／ ăn kiêng hoặc tập thể dục để giảm cân

## 35 つかい**かた**　　［〜かた］

How to use／使用方法／사용법／Làm thế nào để sử dụng

① つくり**かた**は　かんたんですよ。

② あの人の　話し**かた**は　かっこいい。

◆ある行為をする方法を表す接尾辞。
A suffix used to indicate how an action is performed.／表示某种行为方法的接尾词。／어떤 행위를 하는 방법을 나타내는 접미사／Hậu tố chỉ phương pháp để tiến hành một hành động nào đó.

□ かっこいい　cool／很酷／멋있다／tuyệt vời

V(ます)ます　＋かた　　つくりかた

### ふくしゅう

**1** 正しい　ほうを　えらんでください。

1　トイレは（a. どこ　b. どの）ですか。

2　（a. あれ　b. あの）人が　はなさんです。

3　お昼ごはんは（a. この　b. ここ）で　食べますか。

4　（a. それ　b. その）、何？

**2** 例の　ように　書いてください。

（例）　どうやって　つくりますか。：　つくりかた

1　_____　：　食べかた

2　_____　：　行きかた

3　どうやって　書きますか。　：　_____

4　どうやって　読みますか。　：　_____

47

# Unit 14 げんかんの 電気を けしますか。

A：げんかんの　電気を　けしますか。
B：自動で　きえます。

□ 自動　automatic ／自动／자동／ tự động

## ㊱ [〜が＋自動詞 *]

*自動詞：目的語（「〜を」で示される）を必要としない動詞。

Intransitive verb: A verb that does not require an object (indicated by 〜を). ／自动词：不需要宾语（用「〜を」表示）的动词。／자동사：목적어（「〜를」로 표시된다）가 필요하지 않은 동사．／ Tự động từ: Động từ không đòi hỏi bổ ngữ (đi với「〜を」).

① 電気が　きえます。
The light turns off. ／电没了。／전기가 꺼집니다．／ Điện tắt.

② テレビが　つきます。
The TV turns on. ／电视开着。／텔레비전이 켜집니다．／ Ti vi bật.

③ ドアが　あきます。
The door opens. ／门开着。／문이 열립니다．／ Cửa mở.

④ ドアが　しまります。
The door shuts. ／门关着。／문이 닫힙니다．／ Cửa đóng.

⑤ ねこが　入ります。
The cat enters. ／猫进来。／고양이가 들어갑니다．／ Mèo đi vào.

⑥ ねこが　出ます。
The cat exits. ／猫出去。／고양이가 나갑니다．／ Mèo đi ra.

## ㊲ [〜を＋他動詞 *]

*他動詞：目的語（「〜を」で示される）を必要とする動詞。

Transitive verb: A verb that does require an object (indicated by 〜を). ／他动词：需要宾语（用「〜を」表示）的动词。／타동사：목적어（「〜를」로 나타낸다）를 필요로 하는 동사．／ Tha động từ: Động từ đòi hỏi bổ ngữ (đi với「〜を」).

① 電気を　けします。
I turn off the light. ／关灯。／전기를 끕니다．／ Tắt điện.

② テレビを　つけます。
I turn on the TV. ／打开电视。／텔레비전을 켭니다．／ Bật ti vi.

③ ドアを　あけます。
I open the door. ／开门。／문을 엽니다．／ Mở cửa.

④ ドアを　しめます。
I shut the door. ／关门。／문을 닫습니다．／ Đóng cửa.

⑤ ねこを　入れます。
I let the cat enter. ／让猫进来。／고양이를 넣습니다．／ Cho mèo vào.

⑥ ねこを　出します。
I let the cat exit. ／让猫出去。／고양이를 내보냅니다．／ Cho mèo ra.

⑦ 子どもが おきます。
The child awakens. ／孩子起来。／아이가 일어납니다. ／Đứa trẻ thức dậy.

⑧ 予定が きまります。
The plans are decided upon. ／预定已定。／예정이 정해집니다. ／Dự định được quyết định.

⑨ じゅぎょうが はじまります。
The class starts. ／上课了。／수업이 시작됩니다. ／Giờ học bắt đầu.

[対になっていない自動詞]
Intransitive verb without a pair ／不成对的自动词／대칭 쌍이 없는 자동사／Tự động từ không có tha động từ tương ứng

⑩ 雨が ふりました。
It rained. ／下雨了。／비가 내렸습니다. ／Trời đã mưa.

⑪ あかちゃんが ねました。
The baby has gone to sleep. ／小宝宝睡了。／아기가 잠들었습니다. ／Em bé đã ngủ.

⑦ 子どもを おこします。
I wake the child up. ／把孩子叫醒。／아이를 깨웁니다. ／Đánh thức trẻ em. 한국어 tiếng Việt

⑧ 予定を きめます。
I decide upon the plans. ／定预定。／예정을 정합니다. ／Quyết định dự định.

⑨ じゅぎょうを はじめます。
I start the class. ／开始上课。／수업을 시작합니다. ／Bắt đầu giờ học.

[対になっていない他動詞]
Transitive verb without a pair ／不成对的他动词／대칭 쌍이 없는 타동사／Tha động từ không có tự động từ tương ứng

⑩ 顔を あらいます。
I wash (my) face. ／洗脸。／얼굴을 씻습니다. ／Rửa mặt.

⑪ 花を かざります。
I decorate with flowers. ／用花装饰。／꽃을 장식합니다. ／Trang trí hoa.

□ あかちゃん　baby ／宝宝、婴儿／아기／ em bé
□ かざります　to decorate ／装饰、装点／장식합니다／ trang trí

## ふくしゅう

■例の ように 書いてください。

|  | 自動詞 | 他動詞 |
|---|---|---|
| (例) | でます | だします |

|  | 自動詞 | 他動詞 |
|---|---|---|
| 1 | しまります | _____ |
| 2 | _____ | あけます |
| 3 | きえます | _____ |
| 4 | _____ | おこします |
| 5 | きまります | _____ |

## Unit 15 動物(どうぶつ)に えさを あげてはいけません。

(動物園(どうぶつえん)で)
「動物(どうぶつ)に えさを あげて\*はいけません。」
と 書(か)いてあります。

- □ 動物園 zoo ／动物园／동물원／ vườn thú
- □ えさ feed ／食儿／먹이／ mồi, đồ ăn cho động vật
- \* Ｖて a て -conjugated verb. ／动词的て形／동사의て형／ thể て của động từ ☞ p.13

### 38 動物(どうぶつ)に えさを あげてはいけません。
[（～に～を）あげる]

You can't give it feed.／不能给食儿／먹이를 주어서는 안됩니다 .／ Không được cho động vật ăn.

① わたしは かのじょに ゆびわを あげます。
② 母(はは)に 花(はな)を あげました。
③ この ゆびわは あなたに あげます。

◆ 相手に所有権を渡すという意味を表す。
To give ownership of something to someone.／表示(將所有权)交給对方。／ 상대에게 소유권을 양도한다는 의미를 가진다 .／ Biểu hiện ý nghĩa chuyển nhượng quyền sở hữu cho đối phương.

- □ かのじょ her, girlfriend ／她／그녀／ cô áy
- □ ゆびわ ring ／戒指／반지／ chiếc nhẫn

☞ 64 ((～に～を) もらう)

### 39 えさを あげてはいけません。
[～てはいけない]

You can't give it feed.／不能给食儿／먹이를 주어서는 안됩니다 .／ Không được cho động vật ăn.

① 戦争(せんそう)を わすれてはいけません。
② かのじょの 前(まえ)では その ことを 言(い)ってはいけない。

◆ （意志動詞で表す）ある行為を禁止する表現。
An expression forbidding an action (expressed by a volitional verb).／禁止（用意志动词表示）某种行为的表现。／（의지 동사로 표현하는）어떤 행위를 금지하는 표현／ Cách nói không cho phép ai đó tiến hành một hành động nào đó (được thể hiện bằng một động từ có ý chí).

- □ 戦争 war ／战争／전쟁／ chiến tranh

V（て） ＋はいけません　わすれてはいけません

## ㊵ 書いてあります。　　［他動詞 てある］

It has been written／写着／쓰여 있습니다.／được ghi

① へやに 花が かざっ**てあります**。
② ポスターが はっ**てありました**。

◆ だれかの働きかけの結果として残っている状態を表す。
Indicates the state that something has been left in as the result of someone's efforts.／表示作为某人的行为结果而留下的状态。／누군가의 행위의 결과로 남아 있는 상태를 나타낸다.／Biểu thị trạng thái kết quả hành động của ai đó còn được lưu lại.

□ ポスター　poster／海报、宣传画／포스터／áp phích

V（て）　　＋あります　　はってありました

### ふくしゅう

**1** 例の ように 書いてください。

（例）Aさん りんご　：　＿＿Aさんに りんごを あげます。＿＿

1　Bさん とけい　　：　＿＿＿＿＿＿＿＿＿＿＿＿＿＿＿＿
2　Cさん プレゼント　：　＿＿＿＿＿＿＿＿＿＿＿＿＿＿＿＿
3　ねこ えさ　　　　：　＿＿＿＿＿＿＿＿＿＿＿＿＿＿＿＿

**2** 例の ように 書いてください。

（例）戦争を ＿＿**わすれて**＿＿ はいけません。
　　　　　　わすれます

1　ここで 写真を ＿＿＿＿＿＿はいけない。
　　　　　　　　　とります

2　だめ！ ＿＿＿＿＿＿はいけない！
　　　　　　ねます

**3** 正しい ほうを えらんでください。

1　れいぞうこに ビールが （a. 入って　b. 入れて）あります。
2　やさいは （a. きれて　b. きって）あります。
3　ドアが （a. しめて　b. しまって）あります。

# Unit 11 〜 Unit 15 実戦練習

⏳ 15分でチャレンジ

**もんだい1** （　）に 何を 入れますか。1・2・3・4から いちばん いい ものを 一つ えらんで ください。

1　A「北海道へは （　　　） 行きますか。」
　　B「新幹線で 行きます。」

　　1　どのくらい　　2　どうやって　　3　どんな　　4　どれ

2　みんな（　　　） 行きましょう。

　　1　に　　　　　2　で　　　　　3　へ　　　　　4　を

3　わたしも （　　　）から、はなさんも 行きませんか。 たのしいですよ。

　　1　行きません　　　　　　　　2　行きませんでした
　　3　行く　　　　　　　　　　　4　行き

4　あぶない！ ここで （　　　）は いけません。

　　1　あそぶ　　2　あそんで　　3　あそばない　　4　あそんだ


**もんだい2**　＿＿★＿＿に 入る ものは どれですか。1・2・3・4から いちばん いい ものを 一つ えらんで ください。

5　わたしは ときどき 学校 ＿＿＿＿ ＿＿＿＿ ＿★＿ ＿＿＿＿。

　　1　行きます　　2　じてんしゃ　　3　で　　　　4　に

6　妹は 母 ＿＿＿＿ ＿★＿ ＿＿＿＿ ＿＿＿＿。

　　1　に　　　　　2　花　　　　　3　あげました　　4　を

7　この りょうり ＿＿＿＿ ＿★＿ ＿＿＿＿ ＿＿＿＿ ですね。

　　1　むずかしい　2　は　　　　　3　食べかた　　　4　が

52

もんだい3　 8 から 13 に 何を 入れますか。ぶんしょうの いみを かんがえて、1・2・3・4から いちばん いい ものを 一つ えらんで ください。

日本語の べんきょうを している 学生が 「びっくりした こと」の ぶんしょうを 書いて、クラスの みんなの 前で 読みました。

> きのう、わたしは いえへ 帰って、カギを 8 。そして、自分の へやに 9 。へやが 10 ので、電気を 11 。そのとき へやに 人が いるのが わかりました。女の 人でした。わたしは びっくりして、大きい こえを 12 。女の 人は それを 聞いて、まどから 外に 13 。あの 人は だれでしょうか。今も わかりません。

**8**　1　しめました　　2　しまりました　　3　あけました　　4　あきました

**9**　1　入りました　　2　入れました　　3　あけました　　4　あきました

**10**　1　くらく　　2　くらくない　　3　くらかった　　4　くらくなかった

**11**　1　きえました　　2　けしました　　3　つきました　　4　つけました

**12**　1　おこしました　　2　おきました　　3　出しました　　4　出ました

**13**　1　入りました　　2　入れました　　3　出しました　　4　出ました

## Unit 16 この クッキー 食べてもいいですか。

A: この クッキー 食べ**てもいい**ですか。
B: ええ、 どうぞどうぞ。
　今、 もっと 焼い**ています**から、
　たくさん 食べ**てください**。

☐ クッキー　cookie／饼干／쿠키／bánh quy
☐ 焼いて（焼きます）　to bake／烤、烧／굽습니다／nướng

### 41　この クッキー 食べ**てもいい**ですか。　[〜てもいい]

May I eat these cookies?／可以吃饼干吗？／
이 쿠키를 먹어도 됩니까？／Tôi ăn bánh quy này được không?

① 〈医者〉おふろに　入ってはいけません。
　　　　シャワーは　あび**てもいい**ですよ。
② 今日　あなたの　へやへ　行っ**てもいい**ですか。
③ SNSに　写真を　アップし**てもいい**ですか。

◆ ある行為が可能であることや許可の表現。

An expression indicating that an action is possible or permitted.／某种行为的可能或许可的表现。／어떤 행위가 가능한 것이나 허가 표현．／Biểu thị ý nghĩa có thể làm được một việc gì đó hoặc cho phép ai làm gì đó.

☐ SNS　Social Networking Service／Social Networking Service 的缩写／Social Networking Service 의 약자／Cách nói tắt Social Networking Service
☐ アップして（アップします）　to upload／上载／업로드／tải lên

　　　V（て）　　＋もいいです　　行ってもいいです

### 42　今、 焼い**ています**。　[〜ている]

I'm baking now.／现在正烤着。／지금 굽고 있습니다．／Bây giờ đang nướng.

① 今、 何をし**ている**？
② むすめは　ゆうびんきょくで　アルバイトを　**しています**。
③ テレビを　見**ていました**。

◆ 動作が進行していることを表す。

Used to indicate that an action is ongoing.／表示动作正在进行。／동작이 진행되고 있는 것을 나타낸다．／Biểu thị diễn tiến của một hành động

- □ むすめ　daughter／女儿／딸／con gái
- □ ゆうびんきょく　post office／邮局／우체국／bưu điện
- □ アルバイト　part-time job／打工／아르바이트／làm thêm

☞ 59（〜ている）　　V（て）　＋います　　アルバイトをしています

## 43　たくさん　食べてください。［〜てください］

Please eat a lot.／多吃点儿吧。／많이 드세요. ／Hãy ăn nhiều.

① ちょっと　待ってください。
② はやく　来てください。　けが人です！
③ これ、すてて。

◆相手への依頼・勧め・命令などの表現。
An expression used to request, recommend, or order someone.／对对方的依赖．劝诱．命令等表现／상대에게 하는 의뢰, 권유, 명령 등의 표현. ／Cách yêu cầu, khuyến khích hoặc mệnh lệnh.

- □ けが人　injured person／伤者／부상자／người bị thương
- □ すてて（すてます）　to throw away／扔掉／버립니다／vứt

☞ 61（（〜に〜を）ください）　　V（て）　＋ください　　待ってください

### ふくしゅう

■ 例の　ように　書いてください。

（例）あなたの　へやへ　<u>行って</u>　もいいですか。
　　　　　　　　　　　　　行きます

1　先生、ちょっと ＿＿＿＿＿＿＿＿ もいいですか。
　　　　　　　　　　　しつもんします

2　今日の　予定を ＿＿＿＿＿＿＿＿ ください。
　　　　　　　　　　おしえます

3　かのじょは　今、電話で ＿＿＿＿＿＿＿＿ います。
　　　　　　　　　　　　　　話します

4　この　へやを ＿＿＿＿＿＿＿＿ もいいですよ。
　　　　　　　　つかいます

5　テスト、＿＿＿＿＿＿＿＿ ください。
　　　　　　　がんばります

6　そのとき、＿＿＿＿＿＿＿＿ いました。
　　　　　　　　ねます

# Unit 17 何(なに)か てつだいましょうか。

A：**何(なに)か** てつだい**ましょうか**。
　　**何(なん)でも** 言(い)ってください。
B：あ、ありがとうございます。

☐ てつだいます　to help, to help out ／帮忙／돕습니다／phụ giúp

## 44 何(なに)か てつだいましょうか。　[疑問詞(ぎもんし) か]

Shall I help out with something? ／有什么要帮忙的吗？／무언가 도울까요？／Tôi phụ giúp gì cho bạn nhé.

① すみません。**だれか** いませんか。
② 日(にち)よう日(び)に **どこか** しずかな ところへ 行(い)きたい。
③ いい ところ でしたね。**いつか** また 来(き)たいですね。

◆ 具体的にはっきりとはわからない、決まっていないことを表す。
Expresses that something is not clearly and concretely understood or decided. ／表示具体还不清楚、还没定下来的事情。／구체적으로 확실하게는 모르는 정해지지 않은 것을 나타낸다. ／Biểu thị những điều chưa biết cụ thể hoặc chưa được xác định.

## 45 何(なに)か てつだい**ましょうか**。　[〜ましょうか]

Shall I help out with something? ／有什么要帮忙的吗？／무언가 도울까요？／Tôi phụ giúp gì cho bạn nhé.

① くらいですね。 電気(でんき)を つけ**ましょうか**。
② それ、わたしが やり**ましょうか**。
③ にもつを となりの へやに はこび**ましょうか**。

◆ 相手に対してある行為をすることを提案する表現。
An expression used to propose an action to someone. ／向对方推荐某种行为的表现。／상대에게 어떤 행위를 할 것을 제안하는 표현. ／Cách để nghị làm gì để giúp đỡ người khác.

☐ はこびます　to carry ／搬运／나릅니다／mang, chở
☞ 32（〜ましょう）

V（ます）ます　　＋ましょうか　　つけましょうか

## 46 何でも 言ってください。 [疑問詞 でも]

Tell me anything. ／想说什么说什么。／무엇이든 말해 주세요．／Hãy nói bất cứ chuyện gì.

① <u>いつでも</u> 電話してください。

② 旅行は <u>どこでも</u> だいじょうぶです。

③ <u>だれでも</u> 来てください。

◆「何」「いつ」「どこ」「だれ」などの疑問詞に付いて、それらを限定しないことを表す。

Expresses that there is no limit on question words such as "what," "when,""where," or "who," connected with them. ／接在「何」「いつ」「どこ」「だれ」等疑问词后面，表示不限定那些。／「何」「いつ」「どこ」「だれ」등의 의문사에 붙여서 그것을 한정하지 않는 다는 것을 나타낸다．／Đứng sau các từ nghi vấn như「何」「いつ」「どこ」「だれ」để biểu thị ý nghĩa chưa xác định.

### ふくしゅう

**1** 下の ぶんしょうの （　）に 「だれか」「いつか」「どこか」「なにか」の どれかを 入れてください。

1　こんや（　　　）からい ものを 食べたい。

2　来年（　　　）ひろい へやへ ひっこしたい。

3　（　　　）ここで 会いましょう。

4　（　　　）来てください。　事故です。

**2** 例の ように 書いてください。

(例) 電気を ＿＿＿つけましょうか＿＿＿。
　　　　　　　つけます

1　そろそろ ＿＿＿＿＿＿＿＿＿＿。
　　　　　　　　行きます

2　これからの ことを ＿＿＿＿＿＿＿＿＿＿。
　　　　　　　　　　　　話します

3　そのコピー、わたしが ＿＿＿＿＿＿＿＿＿＿。
　　　　　　　　　　　　　　します

## Unit 18 オーストラリアに 行ったことが ありますか。

A：オーストラリアに 行った ことが ありますか。

B：ありますよ。カンガルーを 見たり サーフィンを したりしました。

□ カンガルー　kangaroo／袋鼠／캥거루／chuột túi
□ サーフィン　surfing／冲浪／서핑／lướt sóng

### 47　行ったことが ありますか。
[〜たことがある]

Have you been there?／去过吗？／간 적이 있습니까？／Bạn đã từng có?

◆過去の経験を表す。
Used to indicate a past experience.／表示过去的经历／과거의 경험을 나타낸다.／Cách nói về kinh nghiệm nào đó đã từng trải qua trong quá khứ.

① 日本で 車を うんてんしたことが ありますか。
② わたしは しごとを 休んだことが ありません。
③ カンガルーの 肉を 食べたことが ある。

□ うんてんした（うんてんします）　to drive／开车、驾驶／운전／lái xe

V(た)　＋ことがあります　　行ったことがあります

## 48 カンガルーを 見たり サーフィンを したりしました。　[〜たり〜たりする]

I did things like see kangaroos and go surfing.／又看袋鼠、又冲浪了。／캥거루를 보거나 서핑을 하거나 합니다./ Tôi xem chuột túi và chơi surfing.

① ゆうべの パーティで 飲んだり 食べたりしました。

② 日よう日に そうじしたり せんたくしたりします。

③ えいがを 見て、ないたり わらったりした。

◆複数の行為の中から代表的なものをいくつか挙げる表現。
An expression used to indicate some representative examples from among multiple actions.／从多种行为中举出几个有代表性的表现。／복수의 행위 가운데 대표적인 것을 몇 가지 드는 표현./ Cách nêu vài ví dụ tiêu biểu trong nhiều hành động.

□ ないた（なきます）　to cry／哭／웁니다／khóc
□ わらった（わらいます）　to laugh／笑／웃습니다／cười

V（た）　＋り＋V（た）＋りします　　飲んだり食べたりします

### ふくしゅう

■例の ように 書いてください。

（例）日本で 車を ＿＿うんてんした＿＿ ことが ありますか。
　　　　　　　　　　うんてんします

（例）パーティーで ＿＿飲んだり食べたり＿＿ しました。
　　　　　　　　　　飲みます・食べます

1　あの 人を どこかで ＿＿＿＿＿＿ ことが あります。
　　　　　　　　　　　　見ます

2　かれは 朝から ＿＿＿＿＿＿＿＿＿ しています。
　　　　　　　　　　行きます・来ます

3　前に ＿＿＿＿＿＿ ことが ありますか。
　　　　　会います

4　休みの 日は ＿＿＿＿＿＿＿＿＿＿＿＿＿＿＿＿＿ します。
　　　　　　　　さんぽを します　・　喫茶店で コーヒーを 飲みます

## Unit 19 どうしたんですか。

A：どうした**ん**ですか。
B：さいふが　ない**ん**です。
A：え！　こうばんに　行った　**ほうが　いい**ですよ。
B：ええ。　もう少し　さがし**てから**　行きます。

□ さがして（さがします）　to look for／找／찾습니다／tìm kiếm
□ もう少し　a little more／再〜、差点儿／조금 더／một chút nữa

### 49　どうした**ん**ですか。　[〜んです]

What's the matter?／怎么了？／무슨 일입니까？／Bạn bị làm sao?

① A「どうした**ん**ですか。」
　 B「朝から　頭が　いたい**ん**です。」
② あした　学校を　休みます。母が　日本へ　来る**ん**です。
③ これ、　もらった**ん**です！

□ もらった（もらいます）　to receive／请／받습니다／nhận

◆ある状況について、理由や原因などの説明をしたり、説明を求めたりする表現。

An expression used to explain a reason or cause in a specific situation, or to ask for an explanation.／对于某种状态请求说明其理由、原因等的表现。／어떤 행위에 대해 이유나 원인 등을 설명하거나 설명을 요구하는 표현. ／Cách nói lí do, nguyên nhân hoặc đòi hỏi giải thích về một tình hình nào đó.

| | |
|---|---|
| V（ふつう） | 来るんです |
| A（ふつう） | いたいんです |
| Na（ふつう）※Na だ な ＋んです | ひまなんです |
| N（ふつう）※N だ な | 雨なんです |

### 50　行った　**ほうが　いい**ですよ。　[〜ほうがいい]

You ought to go.／还是去好啊！／가는 편이 좋습니다./Bạn nên đi.

① だいじょうぶですか。　病院へ　行った　**ほうが　いい**ですよ。
② それは　言わない　**ほうが　いい**ですよね。

◆ある行為をすることが望ましい、むしろ、しないことが望ましくないという意味を表す。

Expresses meaning that doing a certain action is desirable; not doing it is undesirable.／表示对某行为的希望、更不希望不那样做。／어떤 행위를 하는 것이 바람직하다, 오히려 하지 않는 것이 좋지 않다는 의미를 나타낸다.／Biểu thị ý nghĩa rằng việc làm một việc nào đó là được ưa chuộng, còn ngược lại việc không làm

③ かぞくに 電話した **ほうが いい**と おもいます。

việc đó là không được ưa chuộng.

V(た)・V(ない) ＋ほうがいいです 行ったほうがいいです

## 51 さがし**てから** 行きます。 [～てから]

I will go after I look for it. ／找到了再走。／찾고 나서 가겠습니다．／Tìm kiếm rồi sẽ đi.

① ぎんこうで お金を 引き出し**てから** 行きます。

② 話を 聞い**てから** きめます。

③ 自分で かんがえ**てから** しつもんしてください。

◆前件の次に後件をすることを表す。
Expresses doing a consequent action after an antecedent one. ／表示动作的前后顺序。／앞의 일 다음에 뒤의 일을 하는 것을 나타낸다．／Biểu thị rằng sau hành động này có hành động khác tiếp diễn.

□引き出して（引き出します） to withdraw ／取出／찾습니다／ rút ra
□きめます to decide ／决定／정합니다／ quyết định
□かんがえて（かんがえます） to think about ／考虑／생각합니다／ suy nghĩ

V(て) ＋から 聞いてから

## ふくしゅう

■例の ように 書いてください。

（例） 朝から 頭が <u>　いたい　</u>んです。
　　　　　　　　　　いたいです

1 日本へ <u>　　　来ます　　　</u>から かれは かわりました。

2 今日は おふろに <u>　　入りません　　</u>ほうが いいでしょう。

3 A「こえが へんですね。」
　B「ちょっと かぜを <u>　ひきました　</u>んです。

4 今日は 一日 <u>　　休みます　　</u>ほうが いいですよ。

5 <u>　けっこんします　</u>から しごとを やめました。

# Unit 20 星が きれいに 見えるでしょうね。

A：今日は いい 天気ですね。
B：よるは 星が きれいに 見える でしょうね。

- □ よる　night／晚上、夜里／밤／buổi tối
- □ 星　star／星星／별／ngôi sao

## 52 きれいに 見える　［〜に・〜く］

You can see it clearly／看得很清楚／명확하게 볼 수 있습니다／Bạn có thể nhìn thấy nó rõ ràng

① 話は みじか**く** まとめてください。
② その子は じょうず**に** 絵を かきます。
③ にんじんを 小さ**く** きってください。

◆形容詞の副詞化。

To turn an adjective into an adverb.／形容词的副词化。／형용사의 부사화／Trạng từ hóa tình từ.

- □ まとめて（まとめます）　to summarize, consolidate／归纳、总结／정리합니다／tóm tắt
- □ にんじん　carrot／胡萝卜／당근／cà rốt

| Aい | ＋く | みじかく |
| --- | --- | --- |
| Na | ＋に | じょうずに |

## 53 星が 見える　［〜が見える・聞こえる］

You can see the stars／能看到星星／별이 보인다／Bạn có thể nhìn thấy các ngôi sao

① となりの うちの テレビの おと**が** **聞こえます**。
② 山の 頂上から 東京タワー**が** **見えます**よ。
③ 今 何か **聞こえません**でしたか。

◆自然と目・耳に入ってくるという意味を表す。

Expresses meaning of naturally coming into one's vision or hearing.／表示自然听到、看到。／자연히 눈과 귀에 들어 온다는 의미를 나타낸다．／Biểu thị ý hình ảnh hay âm thanh đập vào mắt, tai một cách tự nhiên.

- □ おと　sound／声音／소리／âm thanh
- □ 頂上　summit, top／顶上／정상／đỉnh
- □ 東京タワー　Tokyo Tower／东京塔／동경타워／tháp Tokyo

## 54 見える でしょうね。　[〜でしょう]

I'm pretty sure (we) can see it. ／能看到吧。／보이겠지요．／Chắc có thể nhìn thấy nhỉ.

① 【天気予報】 午後は 晴れる**でしょう**。
② 長い 旅行ですから 子どもたちは うれしい**でしょう**ね。
③ えいがかんは こんでいる**でしょう**。日よう日ですから。

◆話し手が断定を避けて考えを述べる推量の表現。
An expression used to explain a guess when a speaker wishes to avoid making definitive statements. ／话者避开断定来叙述自己想法的一种推测表现。／화자가 단정을 하지 않고 추측하는 표현／Biểu thị sự suy đoán mang tính chủ quan để tránh đưa ra kết luận.

□ 天気予報　weather report ／天气预报／일기예보／ dự báo thời tiết
□ うれしい　happy ／高兴／기쁘다／ vui
□ こんで（こみます）　crowded ／拥挤、拥堵／붐빕니다／ đông đúc

| V（ふつう） | |
| A（ふつう） | |
| Na（ふつう）※Na だ | でしょう |
| N（ふつう）※N だ | |

晴れるでしょう
うれしいでしょう
ひまでしょう
雨でしょう

### ふくしゅう

**1** 例の ように 書いてください。

（例） にんじんを ＿＿小さく＿＿ きってください。
　　　　　　　　　　小さいです

1 ＿＿＿＿＿ あけましたね。 こわれましたよ。
　　むりです

2 もっと ＿＿＿＿＿ 書いてください。
　　　　　大きいです

3 ＿＿＿＿＿ あらってください。
　きれいです

**2** 例の ように 書いてください。

（例） 午後は ＿＿晴れる＿＿ でしょう。
　　　　　　　　晴れます

1 ＿＿＿＿＿でしょう。 少し 休んでください。
　つかれました

2 かれは すぐ ＿＿＿＿＿でしょう。
　　　　　　　わすれます

# Unit 16 ～ Unit 20 実戦練習

15分でチャレンジ

**もんだい1** （　）に 何を 入れますか。1・2・3・4から いちばん いい ものを 一つ えらんで ください。

1　A「それ、わたしが あらい（　　　）。」
　　B「すみません。じゃ おねがいします。」

　　1　ませんか　　　2　ましたか　　　3　ましょうか　　　4　ませんでしたか

2　わたしは おさけは（　　　）すきです。ビールも ワインも 飲みます。

　　1　何でも　　　2　何か　　　3　何を　　　4　何も

3　今日 おふろに（　　　）もいいですか。

　　1　入る　　　2　入らない　　　3　入った　　　4　入って

4　あしたは（　　　）しょう。

　　1　雨だ　　　2　雨で　　　3　雨の　　　4　雨な

5　日よう日は かいものに 行ったり ゲームを したり（　　　）。

　　1　行きます　　　2　します　　　3　います　　　4　あります

6　A「田中さん、どうしたんですか。」
　　B「（　　　）んです。」

　　1　かぜ　　　2　かぜだ　　　3　かぜの　　　4　かぜな

7　子どもは 今、外で（　　　）います。

　　1　あそんだ　　　2　あそぶ　　　3　あそんで　　　4　あそび

**もんだい2** ★ に 入る ものは どれですか。1・2・3・4から いちばん いい ものを 一つ えらんで ください。

**8** たいせつな ことです ＿＿＿ ★ ＿＿＿ ＿＿＿ ほうが いいですよ。

　　1 きめた　　　　　　　　　　2 先生に 話して
　　3 から　　　　　　　　　　　4 から

**9** かれを どこ ＿＿＿ ★ ＿＿＿ ＿＿＿ が あります。

　　1 で　　　　2 か　　　　3 こと　　　　4 見た

**10** 今日は 天気が いいので、月 ＿＿＿ ＿＿＿ ★ ＿＿＿ おもいます。

　　1 と　　　　2 が　　　　3 見える　　　　4 きれいに

**もんだい3** 11 から 13 に 何を 入れますか。ぶんしょうの いみを かんがえて、1・2・3・4から いちばん いい ものを 一つ えらんで ください。

ミンヘさんは まりさんへ てがみを 書きました。

---

まりさんへ

　まりさん、げんきですか。 これは 新しい アパートの へやと ルームメイトの しゃしんです。 かのじょの 名前は アルさんです。アルさんは アメリカ人です。アルさんは 日本語を ぜんぜん 話しません。 11 、わたしと アルさんは 英語で 話します。

　まりさん、新しい アパートから うみが 12 よ。いつか あそびに 13 。

　　　　　　　　　　　　　　　　　　　　　　　　　　ミンヘ

---

**11**　1 それから　　2 だから　　3 たとえば　　4 でも

**12**　1 見ます　　2 見ました　　3 見えます　　4 見えました

**13**　1 来ましょう　　2 来ます　　3 来ました　　4 来てください

# Unit 21 むりしないでください。

A: むりしないでください。
つらくなる 前(まえ)に 言(い)って ください。

B: はい。

- □ むりしない（むりします）　to overdo (it), to push oneself too hard　／勉強、硬撑／무리를 합니다／ quá sức
- □ つらく（つらい）　tough　／辛苦／힘들다, 괴롭다／ vất vả

## 55 むりしないでください。　[～ないでください]

Don't force yourself.／请不要勉强。／무리하지 마세요．／Đừng có quá sức.

① だいじょうぶです。心配(しんぱい)しないでください。

② ここに 車(くるま)を とめないでください。

③ なかないでください。また、会(あ)いましょう。

◆相手に何かの行為をしないよう依頼したり、指示したり、命令したりする表現。
An expression used to ask, direct, or command someone to not perform an action.／向对方提出不要做某种行为的依赖、指示、命令等的表现。／상대에게 무언가 행동을 하지 않도록 의뢰하거나 지시하거나 명령하는 표현．／Cách yêu cầu, chỉ dẫn hoặc mệnh lệnh đừng làm một hành động nào đó.

- □ 心配しない（心配します）　to worry　／担心／걱정／ lo
- □ とめない（とめます）　to park　／停、停留／세웁니다／ đỗ (xe)
- □ なかない（なきます）　to cry　／哭／웁니다／ khóc

V（ない）~~ない~~　　＋ないでください　　心配(しんぱい)しないでください

## 56 つらくなる 前(まえ)に　[～くなる・になる]

Before it gets tough／感到辛苦之前／괴로워지기 전에／Trước khi cảm thấy đau khổ

① あれ、しずかになりましたね。

② よるになって さむくなりました。

③ 20年前(ねんまえ)に 日本語教師(にほんごきょうし)になりました。

◆物事が変化することを表す。
Expresses the changing of things.／表示事物的变化。／상황이 변하는 것을 표현한다．／Biểu thị sự thay đổi của trạng thái.

☐ よる　night／夜里／밤／buổi tối
☞ 82（～くする・～にする）

☐ 教師　teacher／教師／교사／giáo viên

| Aい | ＋くなります | さむくなります |
| Na | ＋になります | しずかになります |
| N | ＋になります | よるになります |

## 57　つらくなる　前に　　［～前に］

Before it gets tough／感到辛苦之前／괴로워지기 전에／Trước khi cảm thấy đau khổ

① テストを　はじめる　前に　名前を　書いてください。

② ねる　前に　何を　しますか。

③ 食事の　前に　手を　あらいます。

◆ 後件の行為やできごとが前件よりも先に行われることを強調する表現。
An expression that emphasizes that a latter action or incident occurs prior to a former action or incident.／強調後者的行為及事情比前者先進行或出現的表現。／뒤에 이어지는 행위와 일이 앞의 것보다 먼저 이루어지는 것을 강조하는 표현．／Nhấn mạnh rằng một hành động hoặc sự kiện trong vế sau được diễn ra trước hành động hoặc sự kiện trong vế trước.

☐ はじめる（はじめます）　to begin／開始／시작합니다／bắt đầu

☐ 食事　meal／飯菜、用膳／식사／bữa ăn

☞ 83（～あとで・～あとに）

| V（じしょ） | ＋前に | ねる前に |
| Nの | | 食事の前に |

### ふくしゅう

**1** 例の　ように　書いてください。

（例）心配しません　→　心配しないでください

1　来ません　＿＿＿＿＿＿　　2　食べません　＿＿＿＿＿＿

3　すいません　＿＿＿＿＿＿　　4　あけません　＿＿＿＿＿＿

**2** 例の　ように　書いてください。

（例）テストを　はじめる／はじめます　前に　名前を　書いてください。

1　＿＿＿＿＿／でかけます　前に　トイレに　行きます。

2　＿＿＿＿＿／しごとです　前に　病院へ　行きます。

67

# Unit 22 この かばん、はなさんの ですか。

A: この かばん、はなさんの ですか。
B: いいえ。に ていますが*、わたしのは、
これより 大きいです。

*接続詞・接続助詞 conjunction, conjunctive particle ／接续词，接续助词／접속사，접속 조사／liên từ ☞ p.15

### 58 はなさんのですか。　　　　[～の]

Is this Hana-san's?／是華小姐的嗎？／하나 씨의 것입니까？／Có phải là của cô Hana không?

① それは だれの ですか。
② みっちゃんのは どれ？
③ わたしのは うちに あります。

◆「Nのもの」という意味を表す。
Expresses "N's thing."／表示「N所具有的」意思。／「N의 것」이라는 의미를 나타낸다．／Biểu thị ý nghĩa "cái của N".

☞ 14 (～の)

### 59 に ていますが　　　　[～ている]

It is similar but／很像，不过。。。／비슷합니다만／giống nhau nhưng

① わたしの ねこの しっぽは まがって います。
② えんぴつの 先が とがって いる。
③ わたしと 兄は に ていない。

◆恒常的な状態を表す。「似る・とがる・曲がる」などの状態性動詞に使われる。
Expresses a constant state. Used with static verbs such as 似る, とがる, 曲がる, and so on.／表示一种恒久的状态。常使用「似る・とがる・曲がる」等表示状态性的动词。／변함없는 상태를 나타내는「似る・とがる・曲がる」등의 상태성 동사로 사용된다．／Biểu thị trạng thái bất biến. Thường được sử dụng cùng với các động từ chỉ trạng thái như「似る・とがる・曲がる」.

☐ しっぽ　tail／尾巴／꼬리／đuôi
☐ とがって (とがります)　become sharp, taper off／尖，尖锐／뾰족해집니다／nhọn
☞ 42 (～ている)

V (て) ＋います　まがって います

## 60 わたしのは これより 大きいです。 ［～は～より］

Mine is bigger than this. ／我的比这个大。／내 것은 이것보다 큽니다. ／Cái của tôi to hơn cái này.

① ことし**は** きょねん**より** あついですね。

② わたし**は** 山田さん**より** あしが 大きいです。

③ これ**より** 長い かさが ありますか。

◆主題の程度について他と比べて述べる表現。
An expression used to compare the degree of an aspect of the subject with something else. ／对于主题的程度与其他的进行比较的叙述表现。／주제의 정도를 다른 것과 비교해 말하는 표현. ／Cách so sánh mức độ giữa chủ đề và cái khác.

### ふくしゅう

■例の ように 書いてください。

> （例） ことし ・ きょねん ・ あつい
> ⇒ ___ことしは きょねんより あついです。___

1 会社のコンピュータ ・ わたしの ・ 新しい

　⇒ _____

2 母 ・ わたし ・ げんき

　⇒ _____

3 ニュース ・ ドラマ ・ おもしろい

　⇒ _____

## Unit 23 わたしにも ください。

A：わたし**にも** ください。
B：少し**だけ** ですよ。

### 61 わたし**にも** ください  [(〜に〜を) ください]

Please give it to me too. ／请也给我一个。／저에게도 주세요．／Cho cả tôi nữa.

① あれ**を** ください。
② りんご**を** ふたつ ください。
③ それ、むすこ**に** ください。
④ 神様 わたし**に** 時間**を** ください。

◆相手に物を要求する表現。
An expression used to request something from someone else. ／向对方索取东西的表现。／상대에게 물건을 요구하는 표현．／Cách yêu cầu người khác đưa cái gì cho mình.

□ むすこ　son ／儿子／아들／ con trai
□ 神様　God ／神／하느님／ ông trời

☞ 43 (〜てください)

### 62 わたしに**も**  [〜も]

to me too ／也给我～／저에게도／ cho cả tôi

① はなさんは うちで**も** べんきょうを しますか。
② 東京へ**も** 来てください。
③ わたしの うちに**も** その いすが あります。

◆「他と同様に」という意味を表すとりたて助詞。
An emphatic particle used to mean "the same as others." ／表示例举「与其他相同」意思的助词。／「다른 것과 마찬가지로」라는 의미를 나타내는 강조 표현의 조사．／Trợ từ tiêu điểm để biểu thị ý "tương tự như cái khác".

☞ 25 (〜も)

## 63 少しだけ ですよ。　［〜だけ］

Just a little, okay?／只一点儿啊！／조금만입니다．／Một chút thôi nhé.

① その 本を 1ページだけ 読みました。

② しごとの 休みは 水よう日だけです。

③ 3か月だけ インドネシアに すんでいました。

◆ それ以外・それ以上はない という限定を表す。
Used to indicate a limit of nothing else or nothing more.／表示没有除此意外．比这以上的限定意思．／그것 이외, 그것 이상은 없다는 한정을 나타낸다．／Biểu thị phạm vi được hạn định, không có gì nữa.

| N | だけ | 水よう日だけ |

### ふくしゅう

■下の ぶんしょうの （　　）に 入る ことばを a.〜f.の 中から えらんでください。

（　a. 午前中　b. コーヒー　c. 100円　d. 3日　e. おんがく　f. 母　）

1　朝は ＿＿＿＿＿＿だけ 飲みます。

2　今日は ＿＿＿＿＿＿だけ 休みます。

3　＿＿＿＿＿＿だけに チョコレートを あげます。

4　夏休みは ＿＿＿＿＿＿だけ でした。

5　さいふの 中に ＿＿＿＿＿＿だけ あります。

## Unit 24 姉に この 服を もらいました。

A: 姉に この 服を もらいました。
B: わー、かわいいですね。
A: でも*、ダイエットしなくてはいけません。

□ 姉　elder sister／姐姐／누나, 언니／chị gái
□ ダイエットしなくて（ダイエットします）　to diet／减肥／다이어트합니다／ăn kiêng hoặc tập thể dục để giảm cân
*接続詞・接続助詞　conjunction, conjunctive particle／接续词．接续助词／접속사, 접속 조사／liên từ　☞ p.15

### 64 姉に この 服を もらいました。
[(～に～を) もらう]

I received these clothes from my elder sister.／从姐姐那儿要来了这件衣服。／언니에게 이 옷을 받았습니다．／Tôi được chị tặng cho áo này.

① なおきくんに ラブレターを もらいました。
② たんじょう日に だれかに プレゼントを もらいましたか。
③ これ、母に もらったんです。 とても べんりです。

◆相手から所有権を受け取るという意味を表す。
To receive ownership of something from someone.／表示从对方那里接受(所有权)／상대에게 소유권을 받는다는 의미를 나타낸다．／Biểu hiện ý nghĩa nhận chuyển nhượng quyền sở hữu của đối phương.

□ ラブレター　love letter／情书／연애 편지／thư tình
□ たんじょう日　birthday／生日／생일／sinh nhật
□ プレゼント　present／礼物／선물／quà
☞ 38 ((～に～を) あげる)

## 65 ダイエットしなくてはいけません。
[〜なくてはいけない]

Have to diet. ／必须得减肥。／다이어트를 하지 않으면 안 됩니다. ／Phải giảm cân.

① この 中から えらばなくてはいけませんか。

② 国に 帰らなくてはいけない。

③ 今日 食べなくてはいけないでしょうね。

□ えらばなくて（えらびます） to choose ／选择／고릅니다／chọn

V（ない）ない ＋なくてはいけません 帰らなくてはいけません

◆そうすることが義務・必要であるという意味を表す。
An expression used to say that something is mandatory or required. ／表示有义务．有必要那样做的意思。／그렇게 하는 것이 의무, 필요하다는 의미를 나타낸다. ／Biểu thị sự cần thiết hoặc nghĩa vụ phải làm như thế.

### ふくしゅう

**1** 例の ように 書いてください。

(例) なおきくん ・ラブレター
⇒ なおきくんに ラブレターを もらいました。

1　父 ・ 時計
⇒ _____

2　よし子さん ・ げんき
⇒ _____

**2** 例の ように 書いてください。

(例) 国に ___帰らなくては___ いけない。
　　　　　　帰ります

1　どうして わたしが _____ いけないんですか。
　　　　　　　　　　　　やります

2　あ、手紙の 返事を _____ いけない。
　　　　　　　　　　　　書きます

## Unit 25 そこを 右に まがってください。

A: えきは どこですか。
B: そこを 右に まがってください。
　 5分ぐらいです。

### 66 そこを まがってください。　　[～を]

Please turn there.／从那里拐／거기에서 꺾어지세요．／Hãy rẽ ở chỗ đó.

① あの 橋を わたってください。
② ろうかを はしってはいけません。
③ きのう こうえんを さんぽしました。

◆移動の通過点・経路を表す助詞。移動動詞に使う。
A particle used to indicate a point or a path to go through. Used with a movement verb.／表示移动的通过点．经过点等助词。与移动动词使用。／이동의 통과점, 경로를 나타내는 조사. 이동 동사로 사용한다．／Trợ từ chỉ điểm đi qua trong quá trình di chuyển. Thường đi kèm với các động từ chỉ sự di chuyển.

☐ ろうか　hallway／走廊／복도／hành lang
☞ 6 (～を)

### 67 5分ぐらいです。　　[～ぐらい・くらい]

About five minutes.／5分左右／5분 정도입니다．／Mất khoảng 5 phút.

① 毎日 3杯ぐらい コーヒーを 飲む。
② この ジャケットは 2万円ぐらいでした。
③ 夏休みは 1か月くらい あります。

◆数量についてだいたいの程度を表す。
Expresses an approximate amount of something.／表示对数量的大概估计程度。／수량에 대해 대강의 정도를 나타낸다．／Chỉ số lượng được giới hạn một cách đại khái.

☐ ジャケット　jacket／上衣外套／재킷／áo khoác
☞ 22 (～ごろ)
☞ 75 (どのくらい)

N ＋ぐらい・くらい　2万円ぐらい

## ふくしゅう

■正しい ほうを えらんでください。

1 空を （a. とびたい　b. はしりたい）。

2 どうして 階段を （a. のぼらない　b. わたらない）んですか。

3 郵便局は その 角を （a. さんぽして　b. まがって）ください。

4 ろうかを しずかに （a. あるく　b. あがる）。

# Unit 21 〜 Unit 25 実戦練習

⏳ 15分でチャレンジ

**もんだい1** （　）に 何を 入れますか。1・2・3・4から いちばん いい ものを 一つ えらんで ください。

**1** この くつは （　　　） ですか。

　　1　だれが　　　　2　だれと　　　　3　だれの　　　　4　だれに

**2** あの 川（　　　） わたって ください。

　　1　を　　　　　　2　で　　　　　　3　に　　　　　　4　へ

**3** コンサートに 400人（　　　） 来ました。

　　1　ごろ　　　　　2　など　　　　　3　たち　　　　　4　ぐらい

**4** パーティーが おわったから （　　　） なりましたね。

　　1　しずかな　　　2　しずかだ　　　3　しずかに　　　4　しずか

**5** A「それ、わたしに （　　　）。」
　　B「いいですよ。どうぞ。」

　　1　あげますか　　2　もらいますか　3　ください　　　4　あります

**6** A「わたしの こと （　　　） ください。」
　　B「もちろん わすれませんよ。」

　　1　わすれないで　　　　　　　　　2　わすれなくて
　　3　わすれたくて　　　　　　　　　4　わすれるので

**7** わたしと あねは 目が とても （　　　）。

　　1　にます　　　　2　にました　　　3　にています　　4　にるでしょう

76

**もんだい2** ___★___に 入る ものは どれですか。1・2・3・4から いちばん いい ものを 一つ えらんで ください。

**8** これ ____ ★ ____ ____ ありますか。

　　1 が　　　　2 はこ　　　　3 より　　　　4 大きい

**9** あした 京都へ 行くんですが、奈良 ____ ____ ★ ____ 行きたいです。行きかたを おしえてください。

　　1 も　　　　2 へ　　　　3 や　　　　4 大阪

**10** そうじ ____ ★ ____ ____ を あけた ほうが いいですよ。

　　1 に　　　　2 の　　　　3 まど　　　　4 前

**もんだい3** ⑪から⑬に 何を 入れますか。ぶんしょうの いみを かんがえて、1・2・3・4から いちばん いい ものを 一つ えらんで ください。

日本語の べんきょうを している 学生が にっきを 書きました。

---
12月3日　はれ
　今日、とても あたまが いたかったから、病院へ 行った。たくさん くすりを ⑪ 。
　あしたは テストが あるから べんきょうしなくてはいけない。でも はやく ⑫ から しゅくだい ⑬ して ねる。
---

**11**　1 あげる　　2 あげた　　3 もらう　　4 もらった

**12**　1 ねない　　2 ねなかった　　3 ねたい　　4 ねたくなかった

**13**　1 や　　　　2 だけ　　　　3 も　　　　4 より

## Unit 26 新しい いえは どんな いえですか。

A: 新しい いえは **どんな** いえですか。
B: ひろ**くて** きれいです。
　でも*、ちかくに **何も** ないから、不便です。

□ 不便　inconvenient／不方便的／불편한／bất tiện

*接続詞・接続助詞 conjunction, conjunctive particle／接续词，接续助词／접속사, 접속 조사／liên từ　☞ p.15

### 68 どんな いえですか。　　[どんな〜]

What kind of home is it?／什么样的房子？／어떤 집입니까?／Ngôi nhà như thế nào?

① **どんな** おんがくが すきですか。
② 旅行で **どんな** 経験を しましたか。
③ はなさんの お母さんは **どんな** 人ですか。

□ 経験　experience／经验／경험／kinh nghiệm

◆ ある物事のジャンル・種類・様態について聞く場合の疑問詞。
An interrogative used to ask about the genre, type, or form of something.／对某事物的类型，种类，样态进行询问的疑问词。／어떤 장르, 종류, 상태에 대해 물을 때의 의문사．／Từ nghi vấn để hỏi về thể loại hoặc trạng thái của một sự vật hoặc sự việc nào đó.

| どんな | +N | どんな人ですか |

### 69 ひろくて きれいです。　　[〜くて・で]

Large and beautiful.／又大又漂亮。／넓고 깨끗합니다．／Rộng và sạch.

① わたしの 学校は 大き**くて** えきから ちかいです。
② しゅんくんは あたまがよ**くて** おもしろい 人ですね。
③ わたしの 国は きれい**で** とても あんぜんな 国です。

□ あんぜん　safe／安全／안전／an toàn

◆ 形容詞の並列。
Parallel adjectives.／形容词的并列。／형용사의 나열．／Cách nói nhiều tính từ.

| Aい | +くて | 大きくて |
| Na | +で | きれいで |

## 70 何も ないから　［疑問詞 も〜ない］

Because there isn't anything／因为什么也没有／아무것도 없으니까／Vì không có gì cả

① **何も** 食べたく**ない**。

② きのう **どこへも** 行き**ません**でした。

③ **だれにも** 言い**ません**。

◆ 全ての（物・人・場所など）について皆無であること・全くしないことを表す。疑問詞に使う。

Expresses that all (things, people, places, etc.) are non-existent or are not done. Used with an interrogative.／对所有的(物．人．场所)表示皆无．全然不为。用于疑问词。／모든 것 (물건, 사람, 장소 등)에 대해 해당되지 않는 것, 전혀 하지 않는 것을 나타낸다. 의문사로 사용한다.／Biểu thị rằng không có gì hoặc không làm gì (về sự vật, người, nơi chốn v.v..). Được sử dụng cùng với các từ nghi vấn.

### ふくしゅう

■ 例の ように 書いてください。

(例)　A「新しい いえは ＿＿どんな いえ＿＿ですか。」
　　　B「＿＿ひろくて きれい＿＿です。」
　　　　　　ひろい ・ きれい

1　A「奈良は ＿＿＿＿＿＿＿＿＿＿ですか。」

　　B「＿＿＿＿＿＿＿＿＿＿＿＿＿＿です。」
　　　　しずか ・ 人がやさしい

2　A「かれは ＿＿＿＿＿＿＿＿ですか。」

　　B「＿＿＿＿＿＿＿＿＿＿＿＿＿＿です。」
　　　　背が 高い ・ かっこいい

3　A「＿＿＿＿＿＿＿＿＿が すきですか。」

　　B「冬の スポーツが すきです。」

## Unit 27 きのう 買った 本は どうでしたか。

A： きのう 買った 本は どうでしたか。
　　もう 読みましたか。

B： いいえ、まだ 読んでいません。
　　週末 ゆっくり コーヒーを 飲みながら 読みます。

□ 週末　weekend／周末／주말／cuối tuần

### 71 きのう 買った 本　［連体修飾］

The book bought yesterday／昨天买的书／어제 산 책／quyển sách tôi mua hôm qua

① 弟の 言う ことは しんじないでください。
② これは 母に もらった ゆびわです。
③ やらなくてはいけない ことが たくさん あります。

□ こと　thing／事／일, 것／điều
□ しんじない（しんじます）　to believe／相信／믿습니다／tin
□ ゆびわ　ring／戒指／반지／chiếc nhẫn

V（ふつう）　＋N　　　もらったゆびわ

◆名詞を説明する時に節を使って修飾する用法。
The method of using a clause as a modifier when explaining a noun.／说明名词时使用的修饰用法。／명사를 설명할 때에 절을 사용해 수식하는 용법．／Cách bổ nghĩa cho danh từ bằng mệnh đề quan hệ.

### 72 もう 読みましたか。
　　── いいえ、まだ 読んでいません。
［もう〜た・まだ〜ていない］

Have you read it yet? —No, I haven't read it yet.／已经读了吗？-- 没有, 还没读。／벌써 읽으셨어요？ —아니오, 아직 읽지 않았습니다．／Bạn đã đọc chưa? —Chưa, tôi chưa đọc.

① もう しゅくだいを しましたか。
② まだ 何も 食べていません。
③ さっき べんきょうした ことを もう わすれた。

□ さっき　just now／刚才／좀 전／vừa nãy

◆もう〜た
行為・出来事が完了したことを表す。
Indicates that an action or event has been completed.／表示行为.事件的完了。／행위나 사건이 완료된 것을 나타낸다／Biểu thị sự hoàn tất của hành động hoặc sự kiện.

◆まだ〜ていない
予定されていたことが完了していないことを表す。
Indicates that an action planned to take place has not been completed.／表示预定的事还没完了。／예정되어 있던 일이 아직 완료되지 않은 것을 나타낸다．／Biểu thị rằng chưa hoàn tất một việc nào đó đã được dự định.

| | | |
|---|---|---|
| もう | ＋V（た） | もう読んだ |
| | ＋V（ます）ます ました | もう読みました |
| まだ | ＋V（て）＋いません | まだ読んでいません |

## 73 コーヒーを 飲みながら 読みます。
[〜ながら]

I will read while drinking coffee ／边喝咖啡边读(看)。／커피를 마시면서 읽습니다．／Vừa uống cà phê vừa đọc.

① 食べながら 話を 聞いてもいいですか。
② かのじょは それを わらいながら 話していました。
③ 弟は よく おんがくを ききながら べんきょうします。

◆ 2つの動作が同時並行的に進行することを表すが、後ろの動作がメインである。
Indicates that two actions take place simultaneously, but that the latter action is the main action.／表示两个动作同时并列地进行，后者是主要的动作。／두 동작이 동시 병행으로 진행되는 것을 나타내지만 후의 동작이 중심이다．／Biểu thị 2 hành động xảy ra đồng thời. Hành động đứng sau là hành động chính.

□ わらいます　to laugh／笑／웃습니다／cười

V(ます)ます ＋ながら　食べながら

### ふくしゅう

**1** 例のように 書いてください。
（例）<u>きのう 買った 本</u>は どうでしたか。
　　　きのう 本を 買いました

1 _____は まずいです。
　　かのじょが りょうりを つくりました

2 _____は かっこよかったです。
　　きのう 男の人に 会いました

**2** 例のように 書いてください。
（例）読みます⇒ A「もう ___読みましたか___。」
　　　　　　　　B「まだ ___読んでいません___。」

1 食べます⇒ A「もう ごはんを _____。」
　　　　　　 B「まだ _____。」

2 終わります⇒A「もう しごとは _____。」
　　　　　　　 B「まだ _____。」

**3** 例のように 書いてください。
（例）<u>コーヒーを 飲み</u>ながら 読みます。
　　　コーヒーを 飲みます

1 _____ながら うんてんしてはいけません。
　　電話を します

2 アンさんは _____ながら 子どもを 育てています。
　　　　　　　　はたらきます

## Unit 28 つぎの えきまで どのくらい かかりますか。

A: つぎの えきまで **どのくらい** かかりますか。
B: １時間くらいです。
A: じゃ、ちょっと トイレに 行っ**てきます**。

### (74) つぎの えき**まで**　　　　[〜から・〜まで]

To the next station／到下一站／다음 역까지／cho đến ga kế tiếp

① 日本語の じゅぎょうは 午前10時**から** 午後3時**まで**です。
② 来年**まで** 工事が つづきます。
③ はなさんの うち**から** しゅんくんの うち**まで** じてんしゃで 何分ですか。

□ 工事　construction／工程／공사／công trường xây dựng
□ つづきます　to continue／継续／이어집니다／tiếp tục
☞ 3（〜から）

◆時間・空間・数量等の範囲を表す。
Expresses an extent of time, space, amount, etc.／表示时间．空间．数量等的范围。／시간, 공간, 수량 등의 범위를 나타낸다.／Biểu thị phạm vi thời gian, không gian, số lượng v.v..

N　＋から・まで　　10時から3時まで

### (75) **どのくらい** かかりますか。　　[どのくらい]

How long will it take?／大约需要多长时间？／어느 정도 걸립니까？／Sẽ mất bao lâu?

① 毎日 **どのくらい** ねますか。
② うちに **どのくらい** 本が ありますか。
③ 夏休みは **どのくらい** ですか。

☞ 67（〜ぐらい・くらい）

◆量・程度について聞く場合の疑問詞。
An interrogative used when asking about an amount or a degree.／询问关于数量．程度时的疑问词。／양, 정도에 대해 물을 경우의 의문사.／Từ nghi vấn hỏi về số lượng hoặc mức độ.

### 76 トイレに 行ってきます。　[～てくる]

I'm going to the bathroom.／去一下厕所。／화장실에 갔다 오겠습니다．／Tôi đi nhà vệ sinh rồi sẽ quay lại.

① ちょっと コンビニに 行ってくるね。

② 飲み物を 買ってきてください。

③ 子どもを つれてきてもいいですか。

◆他の場所である行為をした後、今いる場所に戻ることを表す。

Expresses after doing action in a different place, one returns to the place he or she is in now.／表示完成在别的地点进行的行为后返回现在的地点。／다른 장소에서 행위를 한 다음에 지금 있는 장소로 돌아오는 것을 나타낸다．／Biểu thị ý định đi làm gì đó ở chỗ khác rồi sẽ quay lại.

□ つれてきて（つれてきます）　to bring along／带来／데려 온다／mang theo một

| V(て) | +きます | 買ってきます |

---

### ふくしゅう

■下の ぶんしょうの （　）に 「から」「まで」の どちらかを 入れてください。

1　3時（　　）かいぎが はじまります。

2　えきに 行きたいんですが、ここ（　　）どのくらい かかりますか。

3　この くすりは 3回（　　）飲んでも いいです。

# Unit 29 女の人の 気持ちは むずかしくて わかりません。

女の人の 気持ちは むずかしくて わかりません。
だから*、女の人と 話すのが にがてです。

- □ 気持ち　feelings ／心情／기분／ tâm trạng
- □ にがて　poor (at) ／棘手／잘 못함／ kém, yếu

*接続詞・接続助詞　conjunction, conjunctive particle ／接续词，接续助词／접속사，접속 조사／ liên từ　☞ p.15

## 77 むずかしくて わかりません。
[～くて・で]

It's difficult so I don't understand. ／太难不明白。／어려워서 모르겠습니다. ／ Vì khó quá nên tôi không hiểu.

① 子どもが うるさくて べんきょうできなかった。

② ともだちが 少なくて さみしいです。

③ ホテルの 人が しんせつで よかったです。

◆感覚や感情の理由を説明する表現。後には可能動詞の否定形などが来ることが多い。
An expression used to explain the reason behind a feeling or an emotion. Often followed with the negative form of a potential verb. ／说明感觉及感情的理由的表现。后边多出现可能动词的否定式。／감각이나 감정의 이유를 설명하는 표현. 뒤에는 가능 동사의 부정형 등이 오는 경우가 많다. ／ Biểu hiện lí do của một cảm giác hoặc tâm trạng nào đó. Vế sau thường là dạng phủ định của động từ chỉ khả năng.

□ できなかった（できます）　can do ／能做到／할 수 있습니다／ có thể làm được

| | | |
|---|---|---|
| Aい | ＋くて | うるさくて |
| Na | ＋で | じょうずで |

## 78 女の人と 話す　　　　［〜と］

talk with women／与女人说话／여자와 말하／nói chuyện với phụ nữ

① 今日　しゅんくん**と**　会います。

② 来年　はなさん**と**　けっこんしたい。

③ きのう　かれ**と**　けんかを　しました。

◆「一緒に・共に」という意味を表す助詞。
A particle that means "together."／表示「一起」这样意思的助词。／「함께・같이」라는 의미를 나타내는 조사. ／Trợ từ chỉ ý nghĩa "cùng với".

□ けんか　fight, quarrel／打架／싸움／cãi nhau

☞ 4（〜と）

| N | ＋と＋V | しゅんくんと会います |

---

### ふくしゅう

■ 下の　ぶんしょうの　（　　）に　入る　ことばを　a.〜d.の　中から　えらんで、適切な形にして　文を　つくってください。

〔　a. 小さいです　　b. せまいです　　c. 多いです　　d. へたです　〕

1　ごみが（　　　　　　　）すみません。

2　へやが（　　　　　　　）こまりました。

3　こえが（　　　　　　　）聞こえません。

85

## Unit 30 たんじょう日に 何が ほしいですか。

A: たんじょう日に 何が ほしいですか。
B: オレンジか きいろの マフラーが ほしいです。

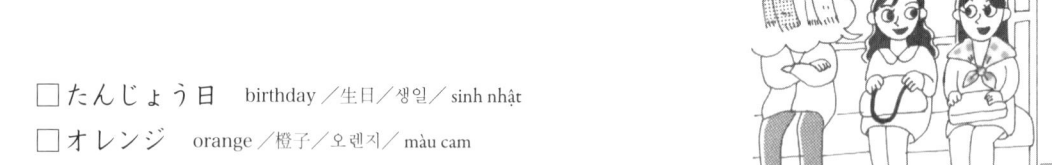

- □ たんじょう日　birthday ／生日／생일／ sinh nhật
- □ オレンジ　orange ／橙子／오렌지／ màu cam
- □ マフラー　scarf, muffler ／围巾／목도리／ khăn choàng cổ

### 79 たんじょう日に　[～に]

on (your) birthday ／生日那天／생일에／ Vào dịp sinh nhật

① 6月に 国に 帰ると おもいます。
② 3時に きのう あった 人に 電話を します。
③ 毎週 木よう日に ヨガを します。

◆事柄が生じる時点を表す助詞。
A particle that expresses the moment when something arises. ／表示事情发生的时间的助词。／일이 생기는 시점을 나타내는 조사. ／ Trợ từ chỉ thời điểm hành động xảy ra.

- □ ヨガ　yoga ／瑜伽／요가／ yôga
- ☞ 11（～に）
- ☞ 15（～に）

N ＋に　3時に

### 80 何が ほしいですか。　[～がほしい]

What do you want? ／你想要什么？／무엇을 갖고 싶습니까？／ Muốn có cái gì?

① じてんしゃが ほしかったです。
② もっと 自由な 時間が ほしいです。
③ ママ、ぼく、妹が ほしい！

◆物を手に入れたいという希望・願望を表す。
Expresses a wish or desire to acquire something. ／表示想把东西搞到手的希望．愿望。／물건을 갖고 싶다는 희망, 소망을 나타낸다. ／ Biểu thị ý muốn có một cái gì đó.

☐ 自由　free, freedom ／自由／자유／ tự do
☐ ぼく　I (male) ／我 ( 男性 )／나 ( 남자의 일인칭 )／ tôi

＊「ほしい」はＡと同じ活用をする。　ほしい is conjugated in the same way as A(い -adjective).／「ほしい」与Ａ的活用相同．／「ほしい」는Ａ와 같은 활용을 한다．／「ほしい」được biến đổi như tính từ đuôi い．

☞ 8（～たい）

| N | ＋が ほしいです | 時間がほしいです |

## 81　オレンジ**か**　きいろ　［～か～］

orange or yellow ／橙色或黄色／오렌지색이나 노란색／ màu cam hoặc màu vàng

① 週末に　うみ**か**　山に　行きたいです。
② 月よう日**か**　金よう日**か**　土よう日に　会いましょう。
③ これは　山田さん**か**　本田さんに　おねがいしましょう。

◆複数の名詞をつなぐ助詞。いくつかの選択肢を挙げる表現。
A particle that connects multiple nouns. An expression that brings up several choices.／连接复数名词的助词。例举几个选择余地的表现。／복수의 명사를 연결하는 조사. 몇 가지 선택 사항을 드는 표현．／ Trợ từ nối danh từ với danh từ khác. Biểu hiện nêu ra vài sự lựa chọn.

☐ 週末　weekend ／周末／주말／ cuối tuần

| N | ＋か＋N | うみか山 |

### ふくしゅう

■下の　ぶんしょうの　（　　）に　「に」「が」「か」の　うちの　どれかを　入れてください。

1　今日（　　）あしたには　電話します。

2　この　本（　　）ほしかったんですか。

3　１時（　　）会いましょう。

4　父（　　）母には　言わなくてはいけません。

5　だれか　話す　あいて（　　）ほしいです。

## Unit 31 この ソースを かけて あまく します。

〈りょうりばんぐみ〉
この ソースを かけて あま**く**します。
ただし、焼(や)いた **あとで** かけてください。

- □ りょうりばんぐみ　cooking program ／烹饪节目／요리 프로그램／ chương trình dạy nấu ăn
- □ ソース　sauce ／酱／소스／ nước sốt
- □ ただし　however ／但是／단지／ nhưng
- □ 焼いた（焼きます）　to grill ／烤、烧／굽습니다／ nướng

### 82　あま**く**します。　　[〜くする・にする]

To make sweet. ／弄甜点儿。／달게 합니다／ làm cho ngọt

① ここを きれい**にして** ください。
② 聞(き)こえないから、おとを 大(おお)き**くしても** いいですか。
③ のこった りんごは ジャム**にします**。

◆対象に働きかけてある状態に変化させることを表す。
Expresses working on a target to change something. ／表示对某种对象施加手脚使之变化成某种状态。／대상에 작용하여 어떤 상태로 변화시키는 것을 나타낸다./ Biểu thị tác động với đối tượng để nó chuyển sang một tình trạng khác.

- □ おと　sound ／声音／소리／ âm thanh
- □ のこった（のこります）　to be left ／剩下／남습니다／ còn lại
- □ ジャム　jam ／果酱／쨈／ mứt dẻo
- ☞ 56（〜くなる・〜になる）

| A い**く** | | 大きくします |
| Na に | +します | きれいにします |
| N に | | ゼリーにします |

### 83　焼(や)いた あとで　　[〜あとで・〜あとに]

after grilling ／烧(烤)完后／구운 다음에／ sau khi nướng xong

① ハチが 死(し)んだ **あと(で)** 渋谷(しぶや)に ハチ公像(こうぞう)が できた。

◆後件の行為やできごとが前件よりも後に行われることを強調する表現。
An expression that emphasizes that a latter action or happening takes place after a former action or happening. ／强调后者的行为或事件比前者还往后进行

② はなさんが 帰った **あとに** しゅんくんが 来たんです。

③ しごとの **あとに** おさけを 飲みませんか。

(发生)的表现。／뒤에 오는 행위나 일이 앞에 것보다 뒤에 행해진다는 것을 강조하는 표현．／Nhấn mạnh rằng một hành động hoặc sự kiện trong vế sau được diễn ra sau hành động hoặc sự kiện trong vế trước.

- □ ハチ　the name of a dog／狗的名字／개의 이름／tên của chó
- □ 渋谷　Shibuya (the name of a place)／涉谷（地名）／시부야 (지명)／Shibuya (địa danh)
- □ ハチ公像　the bronze statute of "ハチ"／「ハチ」的铜像／「ハチ」의 동상／tượng đồng「ハチ」
- □ できた（できます）　to be built, made／办得到、能做到／할 수 있습니다／có thể làm được

☞ 57（～前に）

V（た）
Nの　　＋あとで・あとに

帰ったあとで・あとに
しごとのあとで・あとに

## ふくしゅう

**1** 例の ように 書いてください。

（例）この ソースを かけて ＿＿あまくします＿＿。
　　　　　　　　　　　　　あまいです

1　そうじを して、＿＿＿＿＿＿＿＿＿＿。
　　　　　　　　　　　きれいです

2　れいぞうこに 入れて、＿＿＿＿＿＿＿＿＿＿。
　　　　　　　　　　　　つめたいです

3　電気を つけて、＿＿＿＿＿＿＿＿＿＿。
　　　　　　　　　　あかるいです

**2** 下の ぶんしょうの（　）に 入る ことばを 下から えらんで 適切な 形にして 文を つくってください。

〔　しらべます ・ 食べます ・ じゅぎょうです ・ 入ります　〕

1　ごはんを（　　　　　　　）あとで 歯を みがきます。

2　おふろに（　　　　　　　）あとに 夕飯を 食べます。

3　インターネットで（　　　　　　　）あとで 話します。

4　（　　　　　　　）あとで 会いましょう。

# Unit 26～Unit 31 実戦練習

15分でチャレンジ

**もんだい1** （　）に 何を 入れますか。1・2・3・4から いちばん いい ものを 一つ えらんで ください。

**1** A「（　　　）プレゼントが ほしい？」
　　B「かばん！」

　　1　どのくらい　　2　どうやって　　3　どんな　　4　どれ

**2** 9月（　　　）けっこんします。

　　1　から　　　　2　まで　　　　3　に　　　　4　で

**3** わたしは だれと（　　　）けっこんしない。

　　1　は　　　　2　か　　　　3　も　　　　4　だけ

**4** A「もう おわりましたか。」
　　B「まだ（　　　）。」

　　1　おわっていません　　　2　おわりませんでした
　　3　おわっています　　　　4　おわりました

**5** この魚は しんせんで（　　　）。

　　1　魚です　　　　　　　　2　おいしいです
　　3　食べます　　　　　　　4　わるいです

**6** へやは（　　　）しましょう。

　　1　きれい　　　　　　　　2　きれいな
　　3　きれいだ　　　　　　　4　きれいに

**もんだい2** ___★___ に 入る ものは どれですか。1・2・3・4から いちばん いい ものを 一つ えらんで ください。

**7** かれ ___ ___ ★ ___ とても かわいい。

　　1 は　　　　2 に　　　　3 かばん　　　4 もらった

**8** ___ ★ ___ ___ ありません。

　　1 が　　　　2 時間　　　3 ねる　　　　4 いそがしくて

**9** あした しゅんくん ___ ★ ___ ___ で 会います。

　　1 と　　　　2 か　　　　3 しんじゅく　　4 みっちゃん

**もんだい3** 10 から 13 に 何を 入れますか。ぶんしょうの いみを かんがえて、1・2・3・4から いちばん いい ものを 一つ えらんで ください。

日本語の べんきょうを している 学生が にっきを 書きました。

　東京は とても あつい。へやを 10 が エアコンが ない。アイスクリームを 11 、へやで 食べた。でも、すずしくならないから 12 エアコンが 13 と おもった。

**10**　1　すずしい　　　　　　　　2　すずしくない
　　　3　すずしくなりたい　　　　4　すずしくしたい

**11**　1　買ってきて　　2　買いにきて　　3　食べてきて　　4　食べにきて

**12**　1　食べながら　　2　食べるから　　3　食べる前に　　4　食べるので

**13**　1　ある　　　　　2　かう　　　　　3　ほしい　　　　4　ください

# 解答用紙（実戦練習）

Answer sheet (Test Questions) ／
卷子、试卷（实战练习）／답안지（실전 연습）／
Giấy ghi câu trả lời (Bài luyện tập thực hành)

## Unit 1 ～ Unit 5  実戦練習 解答用紙

### もんだい 1
| | | | | |
|---|---|---|---|---|
| 1 | ① | ② | ③ | ④ |
| 2 | ① | ② | ③ | ④ |
| 3 | ① | ② | ③ | ④ |
| 4 | ① | ② | ③ | ④ |
| 5 | ① | ② | ③ | ④ |
| 6 | ① | ② | ③ | ④ |

### もんだい 2
| | | | | |
|---|---|---|---|---|
| 7 | ① | ② | ③ | ④ |
| 8 | ① | ② | ③ | ④ |
| 9 | ① | ② | ③ | ④ |

### もんだい 3
| | | | | |
|---|---|---|---|---|
| 10 | ① | ② | ③ | ④ |
| 11 | ① | ② | ③ | ④ |
| 12 | ① | ② | ③ | ④ |
| 13 | ① | ② | ③ | ④ |

## Unit 6 ～ Unit 10  実戦練習 解答用紙

### もんだい 1
| | | | | |
|---|---|---|---|---|
| 1 | ① | ② | ③ | ④ |
| 2 | ① | ② | ③ | ④ |
| 3 | ① | ② | ③ | ④ |
| 4 | ① | ② | ③ | ④ |
| 5 | ① | ② | ③ | ④ |

### もんだい 2
| | | | | |
|---|---|---|---|---|
| 6 | ① | ② | ③ | ④ |
| 7 | ① | ② | ③ | ④ |
| 8 | ① | ② | ③ | ④ |
| 9 | ① | ② | ③ | ④ |

### もんだい 3
| | | | | |
|---|---|---|---|---|
| 10 | ① | ② | ③ | ④ |
| 11 | ① | ② | ③ | ④ |
| 12 | ① | ② | ③ | ④ |
| 13 | ① | ② | ③ | ④ |

## Unit 11 ～ Unit 15  実戦練習 解答用紙

### もんだい 1
| | | | | |
|---|---|---|---|---|
| 1 | ① | ② | ③ | ④ |
| 2 | ① | ② | ③ | ④ |
| 3 | ① | ② | ③ | ④ |
| 4 | ① | ② | ③ | ④ |

### もんだい 2
| | | | | |
|---|---|---|---|---|
| 5 | ① | ② | ③ | ④ |
| 6 | ① | ② | ③ | ④ |
| 7 | ① | ② | ③ | ④ |

### もんだい 3
| | | | | |
|---|---|---|---|---|
| 8 | ① | ② | ③ | ④ |
| 9 | ① | ② | ③ | ④ |
| 10 | ① | ② | ③ | ④ |
| 11 | ① | ② | ③ | ④ |
| 12 | ① | ② | ③ | ④ |
| 13 | ① | ② | ③ | ④ |

## Unit 16 ～ Unit 20  実戦練習 解答用紙

### もんだい 1
| | | | | |
|---|---|---|---|---|
| 1 | ① | ② | ③ | ④ |
| 2 | ① | ② | ③ | ④ |
| 3 | ① | ② | ③ | ④ |
| 4 | ① | ② | ③ | ④ |
| 5 | ① | ② | ③ | ④ |
| 6 | ① | ② | ③ | ④ |
| 7 | ① | ② | ③ | ④ |

### もんだい 2
| | | | | |
|---|---|---|---|---|
| 8 | ① | ② | ③ | ④ |
| 9 | ① | ② | ③ | ④ |
| 10 | ① | ② | ③ | ④ |

### もんだい 3
| | | | | |
|---|---|---|---|---|
| 11 | ① | ② | ③ | ④ |
| 12 | ① | ② | ③ | ④ |
| 13 | ① | ② | ③ | ④ |

## Unit 21 ～ Unit 25  実戦練習 解答用紙

### もんだい 1
| | | | | |
|---|---|---|---|---|
| 1 | ① | ② | ③ | ④ |
| 2 | ① | ② | ③ | ④ |
| 3 | ① | ② | ③ | ④ |
| 4 | ① | ② | ③ | ④ |
| 5 | ① | ② | ③ | ④ |
| 6 | ① | ② | ③ | ④ |
| 7 | ① | ② | ③ | ④ |

### もんだい 2
| | | | | |
|---|---|---|---|---|
| 8 | ① | ② | ③ | ④ |
| 9 | ① | ② | ③ | ④ |
| 10 | ① | ② | ③ | ④ |

### もんだい 3
| | | | | |
|---|---|---|---|---|
| 11 | ① | ② | ③ | ④ |
| 12 | ① | ② | ③ | ④ |
| 13 | ① | ② | ③ | ④ |

## Unit 26 ～ Unit 31  実戦練習 解答用紙

### もんだい 1
| | | | | |
|---|---|---|---|---|
| 1 | ① | ② | ③ | ④ |
| 2 | ① | ② | ③ | ④ |
| 3 | ① | ② | ③ | ④ |
| 4 | ① | ② | ③ | ④ |
| 5 | ① | ② | ③ | ④ |
| 6 | ① | ② | ③ | ④ |

### もんだい 2
| | | | | |
|---|---|---|---|---|
| 7 | ① | ② | ③ | ④ |
| 8 | ① | ② | ③ | ④ |
| 9 | ① | ② | ③ | ④ |

### もんだい 3
| | | | | |
|---|---|---|---|---|
| 10 | ① | ② | ③ | ④ |
| 11 | ① | ② | ③ | ④ |
| 12 | ① | ② | ③ | ④ |
| 13 | ① | ② | ③ | ④ |

# PART 2

## 模擬試験
もぎしけん

Mock examinations
模拟测试
모의고사
Kiểm tra mô phỏng thực tế

# 第1回　模擬試験

the 1st Mock examinations／
第一次 模拟测试／제1회 모의고사／
Lần thứ nhất Kiểm tra mô phỏng thực tế

**もんだい1**　（　　　）に　何を　入れますか。1・2・3・4から　いちばん　いい　ものを　一つ　えらんで　ください。

**1**　しゅんくんの　となり（　　　）みっちゃんが　うたっています。
　　1　に　　　　2　で　　　　3　へ　　　　4　を

**2**　わたしは　日本の　マンガ（　　　）読みたいです。
　　1　を　　　　2　で　　　　3　か　　　　4　と

**3**　よく　本（　　　）しんぶんを　読みます。
　　1　の　　　　2　や　　　　3　も　　　　4　に

**4**　毎月　1日（　　　）えいがを　見ます。
　　1　で　　　　2　が　　　　3　も　　　　4　に

**5**　A「この　ケーキは　大きいから　二人（　　　）一つ　食べませんか。」
　　B「ええ、いいですね。」
　　1　に　　　　2　と　　　　3　で　　　　4　を

**6**　A「それ、わたし（　　　）だよ。かえして。」
　　B「あ、ごめん。」
　　1　は　　　　2　の　　　　3　に　　　　4　が

**7**　学校の　前（　　　）とおって　帰ります。
　　1　へ　　　　2　に　　　　3　で　　　　4　を

**8**　今日　ともだちの　うちへ　行って、あしたは　ともだちの　うち（　　　）大学へ　行きます。
　　1　から　　　2　まで　　　3　に　　　　4　で

⑨ A「日よう日は ひまですから、どこ（　　　）行きますよ。」
　B「ほんとうですか。 じゃあ、山へ 行きましょう。」

　１　でも　　　　２　へ　　　　３　まで　　　　４　から

⑩ A「わたしに もう一度 チャンスを（　　　）。」
　B「わかりました。」

　１　あげます　　２　あります　　３　もらいます　　４　ください

⑪ かのじょは（　　　）おもしろい 人です。

　１　しんせつ　　２　しんせつで　　３　しんせつだ　　４　しんせつに

⑫ A「だれにも（　　　）ください。」
　B「ええ。」

　１　言う　　　　２　言って　　　　３　言わないで　　４　言った

⑬ ふるい カメラを（　　　）のが すきです。

　１　あつめる　　２　あつめた　　３　あつまる　　４　あつまった

⑭ A「金よう日の パーティーに（　　　）人が 来るでしょうか。」
　B「20人くらいだと おもいます。」

　１　どんな　　　２　どこ　　　３　どうやって　　４　どのくらい

⑮ 日本で しごとを（　　　）べんきょうしたり する 外国人が 多くなりました。

　１　いって　　　２　いったり　　３　して　　　　４　したり

⑯ 電話（　　　）じてんしゃに のっては いけません。

　１　してから　　２　しながら　　３　したあとで　　４　するまえに

**もんだい2** ＿＿★＿＿に 入る ものは どれですか。 1・2・3・4から いちばん いい ものを 一つ えらんで ください。

（もんだいれい）

　　A「＿＿＿＿ ＿＿＿＿ ＿★＿ ＿＿＿＿ か。」
　　B「山田さんです。」

　　1　です　　　　2　は　　　　3　あの 人　　　4　だれ

（こたえかた）

1．ただしい 文を 作ります。

　　┌──────────────────────────────┐
　　│　A「＿＿＿＿ ＿＿＿＿ ＿★＿ ＿＿＿ か。」　　　│
　　│　　　　3 あの人　　2 は　　4 だれ　　1 です　　│
　　│　B「山田さんです。」　　　　　　　　　　　　　│
　　└──────────────────────────────┘

2．＿★＿に入る ばんごうを くろく ぬります。

　　　（かいとうようし）　（例）　① ② ③ ●

17 テレビ ____ ____ ★ ____ を 見ます。

1 ニュース　　　　　　　　2 インターネット
3 で　　　　　　　　　　　4 か

18 A「お母さんに 話しましたか。」
　 B「はい。父 ____ ★ ____ ____ ことを 話しました。」

1 も　　　2 の　　　3 に　　　4 ほんとう

19 A「おひるごはんの ____ ____ ★ ____ ありますか。」
　 B「そうですね。 ありますよ。」

1 くらい　　2 時間　　3 1時間　　4 は

20 母 ____ ____ ★ ____ 山田さんが 読んでいます。

1 を　　　2 に　　　3 本　　　4 もらった

21 かれ ____ ____ ★ ____ すきだから ともだちに なりたい。

1 が　　2 おもしろい　　3 の　　4 話しかた

**もんだい3** 22 から 26 に 何を 入れますか。 ぶんしょうの いみを かんがえて、1・2・3・4から いちばん いい ものを 一つ えらんで ください。

日本で べんきょうしている 学生が 「わたしの 国」の ぶんしょうを 書いて、クラスの みんなの 前で 読みました。

---

わたしの 国は タイです。 北に 山が あります。 南に うみが あります。 うみ 22 山も きれいです。 タイで いちばん にぎやかな まちは バンコクです。

タイは しんせんな ものが おおいです。 23 くだものや やさいなどは しんせんで おいしいです。 そして、安いです。

タイの 人は とても しんせつです。 みんな ともだちです。

わたしは 日本に 24 も タイが すきでしたが、来てから もっと 25 。

みなさん、タイりょうりを 食べた ことが ありますか。 タイりょうりは からくて おいしいですよ。 タイりょうりが 食べたい 人、わたしの うちに 食べに 26 。

---

98

|22| 1 も　　　　2 か　　　　3 と　　　　4 は

|23| 1 それに　　　2 でも　　　3 だから　　4 たとえば

|24| 1 行く　前に
　　 2 行った　あとで
　　 3 来る　前に
　　 4 来た　あとで

|25| 1 すきでした
　　 2 すきになりました
　　 3 すきにします
　　 4 すきになるでしょう

|26| 1 来ましたか
　　 2 来るんですか
　　 3 来ませんか
　　 4 来ましょうか

# 第2回　模擬試験

the 2nd Mock examinations／
第二次 模拟测试／제2회 모의고사／
Lần thứ hai Kiểm tra mô phỏng thực tế

**もんだい1**　（　　）に 何を 入れますか。1・2・3・4から いちばん いい ものを 一つ えらんで ください。

1　みっちゃんの となり（　　）しゅんくんが います。
　　1　で　　　　2　に　　　　3　が　　　　4　と

2　わたしは いぬ（　　）きらいです。
　　1　と　　　　2　や　　　　3　が　　　　4　の

3　京都へは 電車で 行く ほうが（　　）つく。
　　1　はや　　　2　はやい　　3　はやく　　4　はやくて

4　A「あした、何を しますか。」
　　B「国の ともだち（　　）あいます。」
　　1　と　　　　2　は　　　　3　を　　　　4　が

5　かれ（　　）すきな えいがは『スター・ウォーズ』です。
　　1　の　　　　2　に　　　　3　と　　　　4　を

6　A「だれかの こえ（　　）聞こえませんか。」
　　B「え、そうですか。」
　　1　を　　　　2　が　　　　3　で　　　　4　と

7　日本語の じゅぎょうは 9時（　　）はじまります。
　　1　から　　　2　ほう　　　3　まで　　　4　くらい

8　A「これ、おいしいですね。」
　　B「そうですね。おいしいです（　　）。もっと 食べたいです。」
　　1　か　　　　2　ね　　　　3　よ　　　　4　が

**9** お店の人「安いよ！ 安いよ！ いつもは 1000円！ 今（　　　） 500円！」

1 まで　　　2 に　　　3 くらい　　　4 だけ

**10** A「きのうの テストは どうでしたか。」
B「あまり（　　　）。」

1 むずかしいです　　　　　2 むずかしくなかったです
3 かんたんでした　　　　　4 かんたんではありません

**11** 日本語が （　　　） わかりません。

1 へた　　　2 へたな　　　3 へたに　　　4 へたで

**12** UFOを （　　　） ことがあります。

1 あった　　　2 あわない　　　3 見た　　　4 見ない

**13** A「りょうりが （　　　） ね。だれが つくりましたか。」
B「わかりません。」

1 食べています　　　　　2 食べてあります
3 つくってあります　　　　4 つくっています

**14** A「アメリカと カナダと どちらが 大きいですか。」
B「カナダ （　　　） 大きいです。」

1 から　　　2 より　　　3 のことが　　　4 のほうが

**15** A「もう えいがは おわりましたか。」
B「いえ。（　　　） おわっていません。」

1 もう　　　2 まで　　　3 まだ　　　4 から

**16** A「その レストランは、よやくしなくてはいけませんか。」
B「いいえ。でも いつも こんでいるから、よやく （　　　） よ。」

1 してはいけません　　　　2 してもいいです
3 しないでください　　　　4 したほうがいいです

**もんだい2** ＿★＿に 入る ものは どれですか。1・2・3・4から いちばん いい ものを 一つ えらんで ください。

(もんだいれい)

　　A「＿＿＿　＿＿＿　＿★＿　＿＿＿　か。」
　　B「山田さんです。」

　1　です　　　　2　は　　　　3　あの 人　　　4　だれ

(こたえかた)

1．ただしい 文を 作ります。

　　A「＿＿＿　＿＿＿　＿★＿　＿＿＿　か。」
　　　　　　3 あの人　　2 は　　4 だれ　　1 です
　　B「山田さんです。」

2．＿★＿に入る ばんごうを くろく ぬります。

　　(かいとうようし)　(例)　① ② ③ ●

17 A「山に 何を 持って行きますか。 パンは どうですか。」
B「いいですよ。 山 ____ ____ ★ ____ おいしいですから。」

1 でも　　　2 は　　　3 で　　　4 何

18 自分の ことを、かれ ____ ____ ★ ____ 話さない。

1 も　　　2 に　　　3 だれ　　　4 は

19 A「えいがは 5時から ですね。 まだ 時間が ありますね。 どうしましょうか。」
B「そうですね……。 5時 ____ ★ ____ ____ コーヒーを 飲みましょう。」

1 30分　　　2 から　　　3 まで　　　4 ある

20 A「ともだち ____ ★ ____ ____ どこで 買いますか。」
B「デパートで かいます。」

1 は　　　2 に　　　3 もの　　　4 あげる

21 A「はやく けっこんしたいです。 だれ ____ ★ ____ ____ いませんか。」
B「山田さんは どうですか。」

1 は　　　2 か　　　3 人　　　4 いい

**もんだい3** 22 から 26 に 何を 入れますか。 ぶんしょうの いみを かんがえて、1・2・3・4から いちばん いい ものを 一つ えらんで ください。

大学で べんきょうしている りゅうがくせいが 日本語学校の 先生に メールを 書きました。

---

山田先生、おげんきですか。

大学に 22 から 3か月に なります。大学の べんきょうは しゅくだいが おおくて 23 、すきな デザインの べんきょうなので おもしろいです。

はじめは クラスに ともだちが ぜんぜん 24 から さびしかったですが、今は 新しい ともだちが いるから、 25 。 新しい ともだちは かんこくの カクさんです。 カクさんは あたまが よくて おもしろい 人です。 じゅぎょうの あとで、よく カクさんと 話したり べんきょうしたり します。 だから、今 26 毎日 たのしいです。

先生、それでは また メールします。 おげんきで。

ケン

22　1　入る　　　　2　入って　　　　3　入った　　　　4　入り

23　1　たいへんで
　　2　たいへんではなく
　　3　たいへんですが
　　4　たいへんだから

24　1　ほしかった
　　2　ほしくなかった
　　3　いた
　　4　いなかった

25　1　たのしくなります
　　2　たのしくなりました
　　3　たのしくなくなります
　　4　たのしくなくなりました

26　1　だけ　　　　2　から　　　　3　は　　　　4　が

# 解答用紙（模擬試験）

Answer sheet (Mock examinations) ／
卷子、试卷 ( 模拟测试 )／답안지 ( 모의고사 )／
Giấy ghi câu trả lời（Kiểm tra mô phỏng thực tế）

## 第1回

### もんだい 1

| | | | | |
|---|---|---|---|---|
| 1 | ① | ② | ③ | ④ |
| 2 | ① | ② | ③ | ④ |
| 3 | ① | ② | ③ | ④ |
| 4 | ① | ② | ③ | ④ |
| 5 | ① | ② | ③ | ④ |
| 6 | ① | ② | ③ | ④ |
| 7 | ① | ② | ③ | ④ |
| 8 | ① | ② | ③ | ④ |
| 9 | ① | ② | ③ | ④ |
| 10 | ① | ② | ③ | ④ |
| 11 | ① | ② | ③ | ④ |
| 12 | ① | ② | ③ | ④ |
| 13 | ① | ② | ③ | ④ |
| 14 | ① | ② | ③ | ④ |
| 15 | ① | ② | ③ | ④ |
| 16 | ① | ② | ③ | ④ |

### もんだい 2

| | | | | |
|---|---|---|---|---|
| 17 | ① | ② | ③ | ④ |
| 18 | ① | ② | ③ | ④ |
| 19 | ① | ② | ③ | ④ |
| 20 | ① | ② | ③ | ④ |
| 21 | ① | ② | ③ | ④ |

### もんだい 3

| | | | | |
|---|---|---|---|---|
| 22 | ① | ② | ③ | ④ |
| 23 | ① | ② | ③ | ④ |
| 24 | ① | ② | ③ | ④ |
| 25 | ① | ② | ③ | ④ |
| 26 | ① | ② | ③ | ④ |

## 第2回

### もんだい 1

| | | | | |
|---|---|---|---|---|
| 1 | ① | ② | ③ | ④ |
| 2 | ① | ② | ③ | ④ |
| 3 | ① | ② | ③ | ④ |
| 4 | ① | ② | ③ | ④ |
| 5 | ① | ② | ③ | ④ |
| 6 | ① | ② | ③ | ④ |
| 7 | ① | ② | ③ | ④ |
| 8 | ① | ② | ③ | ④ |
| 9 | ① | ② | ③ | ④ |
| 10 | ① | ② | ③ | ④ |
| 11 | ① | ② | ③ | ④ |
| 12 | ① | ② | ③ | ④ |
| 13 | ① | ② | ③ | ④ |
| 14 | ① | ② | ③ | ④ |
| 15 | ① | ② | ③ | ④ |
| 16 | ① | ② | ③ | ④ |

### もんだい 2

| | | | | |
|---|---|---|---|---|
| 17 | ① | ② | ③ | ④ |
| 18 | ① | ② | ③ | ④ |
| 19 | ① | ② | ③ | ④ |
| 20 | ① | ② | ③ | ④ |
| 21 | ① | ② | ③ | ④ |

### もんだい 3

| | | | | |
|---|---|---|---|---|
| 22 | ① | ② | ③ | ④ |
| 23 | ① | ② | ③ | ④ |
| 24 | ① | ② | ③ | ④ |
| 25 | ① | ② | ③ | ④ |
| 26 | ① | ② | ③ | ④ |

# N5 げんごちしき (ぶんぽう)・どっかい

# 文型の さくいん

Index of sentence patterns ／句型索引／문형 색인／ Chỉ mục mẫu câu

| 文型 | 例文 | 文型番号 | ページ |
|---|---|---|---|

## あいうえお

| 文型 | 例文 | 文型番号 | ページ |
|---|---|---|---|
| あげる | 母に 花を あげました。 | 38 | 50 |
| ～あとで・あとに | はなさんが 帰った あとに しゅんくんが 来たんです。 | 83 | 88 |
| あまり～ない | かれは あまり べんきょうを しません。 | 9 | 24 |
| あまり～ない | あまい ものは あまり すきではありません。 | 12 | 26 |
| あれ・あそこ・あの | あの きれいな 人は はなさんです。 | 33 | 46 |

## かきくけこ

| 文型 | 例文 | 文型番号 | ページ |
|---|---|---|---|
| ～が | わたしが すきな 人は かれです。 | 14 | 30 |
| ～か～ | 週末に うみか 山に 行きたいです。 | 81 | 87 |
| ～がある | ピアノが あります。 | 17 | 33 |
| ～がいちばん | 奈良の 桜は、いつが いちばん きれいですか。 | 21 | 36 |
| ～がいる | おふろに 虫が います！ | 17 | 33 |
| ～がきらい | あなたは わたしが きらいですか。 | 5 | 20 |
| ～がすき | あかと きいろが すきです。 | 5 | 20 |
| ～かた | つくりかたは かんたんですよ。 | 35 | 47 |
| ～がほしい | 何が ほしいですか。 | 80 | 86 |
| ～が見える | 山の 頂上から 東京タワーが 見えますよ。 | 53 | 62 |
| ～から | バンコクから 来ました。 | 3 | 19 |
| ～から | くすりを 飲んだから だいじょうぶです。 | 29 | 43 |
| ～から | 日本語の じゅぎょうは 午前10時から 午後3時までです。 | 74 | 82 |
| ～が聞こえる | となりの うちの テレビの おとが 聞こえます。 | 53 | 62 |
| ～く | 話は みじかく まとめてください。 | 52 | 62 |
| ～くする | あまくします。 | 82 | 88 |
| ください | あれを ください。 | 61 | 70 |
| ～くて | わたしの 学校は 大きくて えきから ちかいです。 | 69 | 78 |

| | | 文型番号 | ページ |
|---|---|---|---|
| ～くて | 子どもが うるさくて べんきょうできなかった。 | 77 | 84 |
| ～くなる | 夜になって さむくなりました。 | 56 | 66 |
| ～ぐらい・くらい | 毎日 3杯ぐらい コーヒーを 飲む。 | 67 | 74 |
| これ・ここ・この | ここで うたいます。 | 33 | 46 |
| ～ごろ | 8時ごろ 起きます。 | 22 | 36 |

| さしすせそ | | 文型番号 | ページ |
|---|---|---|---|
| ぜんぜん～ない | かれは ぜんぜん スポーツを しません。 | 9 | 24 |
| それ・そこ・その | それは いくらですか。 | 33 | 46 |

| たちつてと | | 文型番号 | ページ |
|---|---|---|---|
| ～たい | マンガを 買いたいです。 | 8 | 22 |
| ～だけ | その 本を 1ページだけ 読みました。 | 63 | 71 |
| ～たことがある | 日本で 車を うんてんしたことが ありますか。 | 47 | 58 |
| ～たち | 子どもたちは あそびに 行きました。 | 24 | 38 |
| たとえば～ | たとえば、クラッシックや ジャズなどです。 | 13 | 26 |
| ～たり～たりする | ゆうべの パーティーで 飲んだり 食べたりしました。 | 48 | 59 |
| ～で | タイの 大学で 日本語を べんきょうしました。 | 7 | 22 |
| ～で | いつも ひとりで えいがを 見ます。 | 27 | 42 |
| ～で | 車で 行きますか。 | 30 | 44 |
| ～で | わたしの 国は きれいで とても あんぜんな 国です。 | 69 | 78 |
| ～で | ホテルの 人が しんせつで よかったです。 | 77 | 84 |
| ～てある | へやに 花が かざってあります。 | 40 | 51 |
| ～ている | 今、何を している？ | 42 | 54 |
| ～ている | わたしの ねこの しっぽは まがっています。 | 59 | 68 |
| ～てから | ぎんこうで お金を 引き出してから 行きます。 | 51 | 61 |
| ～てください | たくさん 食べてください。 | 43 | 55 |
| ～てくる | ちょっと コンビニに 行ってくるね。 | 76 | 83 |
| ～でしょう | 午後は 晴れるでしょう。 | 54 | 63 |
| ～です | 学生です。 | 2 | 18 |
| ～てはいけない | えさを あげてはいけません。 | 39 | 50 |
| ～てもいい | この クッキー 食べてもいいですか。 | 41 | 54 |

| | | 文型番号 | ページ |
|---|---|---|---|
| ～と | 今日 しゅんくん**と** 会います。 | 78 | 85 |
| ～と～ | 休みは 土よう日**と** 日よう日です。 | 4 | 20 |
| どうやって | **どうやって** つかいかたを きめますか。 | 34 | 46 |
| ～とおもう | 3月30日ごろだ**と おもいます**。 | 23 | 37 |
| ときどき | おふろは **ときどき** 入ります。 | 9 | 24 |
| ～と～とどちらが | 京都**と** 奈良**と どちらが** いいですか。 | 19 | 34 |
| どのくらい | 毎日 **どのくらい** ねますか。 | 75 | 82 |
| どれ・どこ・どの | トイレは **どこ**ですか。 | 33 | 46 |
| どんな～ | **どんな** おんがくが すきですか。 | 68 | 78 |

| なにぬねの | | 文型番号 | ページ |
|---|---|---|---|
| ～ないでください | 心配し**ないでください**。 | 55 | 66 |
| ～ながら | 食べ**ながら** 話を 聞いてもいいですか。 | 73 | 81 |
| ～なくてはいけない | この 中から えらば**なくてはいけません**か。 | 65 | 73 |
| ～に | うち**に** 帰りたいです。 | 11 | 25 |
| ～に | その子は じょうず**に** 絵を かきます。 | 52 | 62 |
| ～に | 6月**に** 国に 帰ると おもいます。 | 79 | 86 |
| ～にある | きちじょうじ**に あります**。 | 15 | 30 |
| ～に行く・～に来る | 桜を 見**に 行きます**。 | 18 | 34 |
| ～にいる | 両親は 国**に います**。 | 15 | 30 |
| ～にする | ここを きれい**にして** ください。 | 82 | 88 |
| ～になる | 夜**になって** さむくなりました。 | 56 | 66 |
| ～ね | さむいです**ね**。 はやく うちへ 帰りたいです**ね**。 | 20 | 35 |
| ～の | わたし**の** すきな 喫茶店は カフェ・ミーです。 | 14 | 30 |
| ～の | それは だれ**の**ですか。 | 58 | 68 |
| ～のがすき・きらい | 旅行する**のが すき**です。 | 28 | 42 |
| ～ので | 道が こむ**ので**、電車で 行きましょう。 | 31 | 44 |
| ～のほうが | ワイン**の ほうが** すきです。 | 19 | 34 |

| はひふへほ | | 文型番号 | ページ |
|---|---|---|---|
| ～は | わたし**は** タスです。 | 1 | 18 |
| ～は | 牛肉**は** 食べません。 | 16 | 32 |

| | | 文型番号 | ページ |
|---|---|---|---|
| ～は～より | ことしは きょねんより あついですね。 | 60 | 69 |
| ～へ | 毎日 ここへ 来ます。 | 11 | 25 |
| ～ほうがいい | 病院へ 行った ほうが いいですよ。 | 50 | 60 |

| まみむめも | | 文型番号 | ページ |
|---|---|---|---|
| ～前に | テストを はじめる 前に 名前を 書いてください。 | 57 | 67 |
| ～ましょう | 電車で 行きましょう。 | 32 | 45 |
| ～ましょうか | 何か てつだいましょうか。 | 45 | 56 |
| ～ませんか | はなさんも 行きませんか。 | 26 | 39 |
| まだ～ていない | まだ 何も 食べていません。 | 72 | 80 |
| ～まで | 日本語の じゅぎょうは 午前10時から 午後3時までです。 | 74 | 82 |
| ～も | はなさんも 行きませんか。 | 25 | 38 |
| ～も | はなさんは うちでも べんきょうを しますか。 | 62 | 70 |
| もう～た | もう しゅくだいを しましたか。 | 72 | 80 |
| もらう | なおきくんに ラブレターを もらいました。 | 64 | 72 |

| やゆよ・わをん | | 文型番号 | ページ |
|---|---|---|---|
| ～や～（など） | コンビニや スーパーなどで 買い物を します。 | 10 | 24 |
| ～よ | 奈良の ほうが いいですよ。 | 20 | 35 |
| よく | いえで よく えいがを 見ます。 | 9 | 24 |
| ～を | マンガを 読みます。 | 6 | 21 |
| ～を | あの 橋を わたってください。 | 66 | 74 |
| ～んです | 朝から 頭が いたいんです。 | 49 | 60 |

| その他 | | 文型番号 | ページ |
|---|---|---|---|
| 疑問詞＋か | だれか いませんか。 | 44 | 56 |
| 疑問詞＋でも | いつでも 電話してください。 | 46 | 57 |
| 疑問詞＋も～ない | 何も 食べたくない。 | 70 | 79 |
| 自動詞 | ドアが あきます。 | 36 | 48 |
| 他動詞 | ドアを あけます。 | 37 | 48 |
| 連体修飾 | これは 母に もらった ゆびわです。 | 71 | 80 |

111

●著者

桑原　里奈（くわはら　りな）
文化外国語専門学校常勤講師。

小野塚　若菜（おのづか　わかな）
ベネッセ教育総合研究所　言語教育研究室研究員。

DTP・本文レイアウト　オッコの木スタジオ
カバーデザイン　滝デザイン事務所
イラスト　山田淳子
翻訳　Alex Ko Ransom ／ Jenine Heaton ／ Ako Lindstrom ／司馬黎／王雪／崔明淑／宋貴淑／近藤美佳

本書へのご意見・ご感想は下記URLまでお寄せください。
http://www.jresearch.co.jp/kansou/

## 日本語能力試験問題集　Ｎ５文法スピードマスター

平成28年（2016年）　3月10日　初版　第1刷発行
令和元年（2019年）10月10日　　　　第3刷発行

著者　桑原里奈・小野塚若菜
発行人　福田富与
発行所　有限会社　Ｊリサーチ出版
〒166-0002　東京都杉並区高円寺北2-29-14-705
電話　03(6808)8801（代）　FAX　03(5364)5310
編集部　03(6808)8806
http://www.jresearch.co.jp
印刷所　大日本印刷株式会社

ISBN 978-4-86392-269-3
禁無断転載。なお、乱丁、落丁はお取り替えいたします。
©2016 Rina Kuwahara, Wakana Onozuka　All rights reserved.
Printed in Japan

# 日本語能力試験問題集
# N5文法スピードマスター

# 解 答

Answers／解答／해답／Câu trả lời

# ふくしゅう の こたえ

### Unit 1 (p.19)
1 は　です
2 から
3 は　です
4 は　から　から

### Unit 2 (p.21)
1 と
2 を
3 が
4 が
5 と
6 と　を

### Unit 3 (p.23)
**1**
1 は　で　を
2 で　と／や　を

**2**
1 カラオケを したい
2 およぎたくない／およぎたくありません

### Unit 4 (p.25)
**1**
1 a
2 b

**2**
1 へ
2 や

### Unit 5 (p.27)
**1**
1 話しません
2 飲みたくありません

**2**
1 （例）スキーや　スケートなど
2 （例）すしや　てんぷらなど

### Unit 6 (p.31)
1 の
2 に
3 の
4 に

#### ことばと表現
□ ぶたにく：pork ／猪肉／돼지고기／ thịt lợn

□ 浅草：Asakusa (the name of place) ／浅草（地名）／아사쿠사（지명）／ Asakusa (địa danh)

### Unit 7 (p.33)
1 あります
2 います
3 います
4 あります

#### ことばと表現
□ いけ：pond ／池子／연못／ ao

## Unit 8 (p.35)

**1**
1 会いに 来ました
2 とりに 帰りました

**2**
1 のほうが さむいです
2 どちらが はやいです

### ことばと表現

□ じてんしゃ：bicycle／自行车／자전거／xe đạp

## Unit 9 (p.37)

**1**
1 （例）4月が いちばん あついです
2 （例）バレーボールが いちばん すきです

**2**
1 すきだ
2 帰る
3 しあわせだった

## Unit 10 (p.39)

1 （例）行きませんか
2 （例）しませんか
3 （例）飲みませんか

### ことばと表現

□ 食事：meal／饭菜、伙食／식사／bữa ăn

## Unit 11 (p.43)

1 すきだ／すきです
2 いそがしい／いそがしいです
3 おしえる
4 書く

## Unit 12 (p.45)

**1**
1 （例）日よう日な
2 （例）あした テストが ある

**2**
1 うたいましょう
2 食べましょう

## Unit 13 (p.47)

**1**
1 a
2 b
3 b
4 a

**2**
1 どうやって 食べますか。
2 どうやって 行きますか。
3 書きかた
4 読みかた

## Unit 14 (p.49)

1 しめます
2 あきます
3 けします
4 おきます
5 きめます

## Unit 15 (p.51)

**1**
1 Bさんに とけいを あげます。
2 Cさんに プレゼントを あげます。
3 ねこに えさを あげます。

**2**

1 とって
2 ねて

**3**

1 b
2 b
3 a

### ことばと表現

□ 戦争：war／战争／전쟁／chiến tranh

### Unit 16 (p.55)

1 しつもんして
2 おしえて
3 話して
4 つかって
5 がんばって
6 ねて

### ことばと表現

□ 予定：schedule, plan／预定／예정／dự định

### Unit 17 (p.57)

**1**

1 なにか
2 どこか
3 いつか
4 だれか

**2**

1 行きましょうか
2 話しましょうか
3 しましょうか

### Unit 18 (p.59)

1 見た
2 行ったり来たり
3 会った
4 さんぽを したり 喫茶店で コーヒーを 飲んだり

### Unit 19 (p.61)

1 来て
2 入らない
3 ひいた
4 休んだ
5 けっこんして

### ことばと表現

□ こえ：voice／声音／목소리／giọng nói

□ へん：strange, odd／怪、奇怪／이상한／kì lạ

□ かぜをひきます：to catch a cold／感冒／감기에 걸립니다／bị cảm

### Unit 20 (p.63)

**1**

1 むりに
2 大きく
3 きれいに

**2**

1 つかれた
2 わすれる

### ことばと表現

□ にんじん：carrot／胡萝卜／당근／cà rốt

□ きります：to cut／切／자릅니다／cắt

□ こわれます：to be broken／坏、破、砸／부서집니다／hỏng

□ つかれます：to be tired／累／피곤합니다／mệt

## Unit 21 (p.67)

**1**
1. 来ないでください
2. 食べないでください
3. すわないでください
4. あけないでください

**2**
1. でかける
2. しごとの

## Unit 22 (p.69)

1. 会社の コンピュータは わたしより 新しいです。
2. 母は わたしより げんきです。
3. ニュースは ドラマより おもしろいです。

## Unit 23 (p.71)

1. コーヒー（b）
2. 午前中（a）
3. 母（f）
4. 3日（d）
5. 100円（c）

## Unit 24 (p.73)

**1**
1. 父に 時計を もらいました。
2. よし子さんに げんきを もらいました。

**2**
1. やらなくては
2. 書かなくては

## Unit 25 (p.75)

1. a
2. a
3. b
4. a

**ことばと表現**

□ 階段：stairs ／楼梯／계단／ cầu thang
□ 角：corner ／角、拐角／모서리／ góc

## Unit 26 (p.79)

1. どんなところ／どんなまち
   しずかで 人が やさしい
2. どんな人
   背が 高くて かっこいい
3. どんなスポーツ

## Unit 27 (p.81)

**1**
1. かのじょが つくった りょうり
2. きのう 会った 男の人

**2**
1. 食べましたか
   食べていません
2. 終わりましたか
   終わっていません

**3**
1. 電話を し
2. はたらき

**ことばと表現**

□ 育てます：to raise ／培养、培育／기릅니다／ nuôi

## Unit 28 (p.83)

1 から
2 から
3 まで

## Unit 29 (p.85)

1 多(おお)くて (c)
2 せまくて (b)
3 小(ちい)さくて (a)

## Unit 30 (p.87)

1 か
2 が
3 に
4 か
5 が

## Unit 31 (p.89)

**1**
1 きれいにします
2 つめたくします
3 あかるくします

**2**
1 食(た)べた
2 入(はい)った
3 しらべた
4 じゅぎょうの

# 実戦練習の　こたえ

**Unit 1 ～ Unit 5** (p.28～29)

**もんだい1**
1　1
2　1
3　3
4　4
5　2
6　3

**もんだい2**
7　3
8　1
9　4

**もんだい3**
10　4
11　4
12　2
13　2

---

もんだい2のこたえ

7　わたし <u>は</u> <u>いぬ</u> <u>が</u> <u>すき</u> です。

8　わたしの <u>休み</u> <u>は</u> <u>毎週</u> <u>土よう日</u> <u>と</u> 日よう日です。

9　となりの <u>へや</u> <u>は</u> <u>はなさん</u> <u>の</u> <u>へや</u> ですか。

**Unit 6 ～ Unit 10** (p.40～41)

**もんだい1**
1　4
2　4
3　2
4　3
5　2

**もんだい2**
6　3
7　2
8　3
9　1

**もんだい3**
10　3
11　3
12　4
13　3

---

もんだい2のこたえ

6　このクラスの <u>中</u> <u>で</u> <u>だれ</u> <u>が</u> <u>いちばん</u> 背が 高いですか。

7　さいふは <u>車</u> <u>の</u> <u>中</u> <u>に</u> あります。

8　お茶と <u>コーヒー</u> <u>と</u> <u>どちら</u> <u>が</u> いい ですか。

9　わたし <u>の</u> <u>すきな</u> <u>先生</u> <u>は</u> 原先生です。

## Unit 11 ～ Unit 15 (p.52～53)

**もんだい1**
- 1  2
- 2  2
- 3  3
- 4  2

**もんだい2**
- 5  3
- 6  2
- 7  3

**もんだい3**
- 8  3
- 9  1
- 10  3
- 11  4
- 12  3
- 13  4

---

**もんだい2のこたえ**

5 わたしは ときどき 学校（がっこう）に じてんしゃ で 行（い）きます。

6 妹（いもうと）は 母（はは）に 花（はな）を あげました。

7 この りょうり は 食（た）べかた が むずかしい ですね。

**ことばと表現（ひょうげん）**

□ びっくりします：to be surprised／吃惊、吓一跳／놀랍니다／ngạc nhiên

## Unit 16 ～ Unit 20 (p.64～65)

**もんだい1**
- 1  3
- 2  1
- 3  4
- 4  2
- 5  2
- 6  4
- 7  3

**もんだい2**
- 8  2
- 9  1
- 10  3

**もんだい3**
- 11  2
- 12  3
- 13  4

---

**もんだい2のこたえ**

8 たいせつなことです から 先生（せんせい）に 話（はな）して から きめた ほうが いいですよ。

9 かれを どこ か で 見（み）た こと が あります。

10 今日（きょう）は 天気（てんき）が いいので、月（つき）が きれいに 見（み）える と おもいます。

## Unit 21 ～ Unit 25 (p.76～77)

**もんだい 1**
1  3
2  1
3  4
4  3
5  3
6  1
7  3

**もんだい 2**
8  4
9  2
10  4

**もんだい 3**
11  4
12  3
13  2

---

もんだい2のこたえ

8 これ <u>より 大きい はこ が</u> あります か。

9 あした 京都へ 行くんですが、奈良 <u>や 大阪 へ も</u> 行きたいです。

10 そうじ <u>の 前 に まど</u> を あけた ほうが いいですよ。

## Unit 26 ～ Unit 31 (p.90～91)

**もんだい 1**
1  3
2  3
3  3
4  1
5  2
6  4

**もんだい 2**
7  3
8  3
9  4

**もんだい 3**
10  4
11  1
12  1
13  3

---

もんだい2のこたえ

7 かれ <u>に もらった かばん は</u> とても かわいい。

8 <u>いそがしくて ねる 時間 が</u> あります ん。

9 あした しゅんくん <u>か みっちゃん と しんじゅく</u> で 会います。

# 模擬試験の こたえ

## 第1回

**もんだい1**

1. 2
2. 1
3. 2
4. 4
5. 3
6. 2
7. 4
8. 1
9. 1
10. 4
11. 2
12. 3
13. 1
14. 4
15. 4
16. 2

**もんだい2**

17. 3
18. 1
19. 3
20. 3
21. 4

**もんだい3**

22. 1
23. 4
24. 3
25. 2
26. 3

---

もんだい2のこたえ

17. テレビ <u>か</u> <u>インターネット</u> <u>で</u> <u>ニュース</u> を 見ます。

18. 父 <u>に</u> <u>も</u> <u>ほんとう</u> <u>の</u> ことを 話しました。

19. おひるごはんの <u>時間</u> は <u>1時間</u> <u>くらい</u> ありますか。

20. <u>母</u> <u>に</u> <u>もらった</u> <u>本</u> <u>を</u> 山田さんが 読んでいます。

21. かれ <u>の</u> <u>おもしろい</u> <u>話しかた</u> <u>が</u> すきだから ともだちになりたい。

# 第2回

**もんだい1**

1. 2
2. 3
3. 3
4. 1
5. 1
6. 2
7. 1
8. 2
9. 4
10. 2
11. 4
12. 3
13. 3
14. 4
15. 3
16. 4

**もんだい2**

17. 4
18. 2
19. 1
20. 4
21. 4

**もんだい3**

22. 2
23. 3
24. 4
25. 2
26. 3

---

もんだい2のこたえ

17. 山では 何でも おいしいですから。
18. 自分の ことを、かれ は だれ に も 話さない。
19. 5時 まで 30分 ある から コーヒーを 飲みましょう。
20. ともだち に あげる もの は どこ で かいますか。
21. だれ か いい 人 は いませんか。